Vitamines & minéraux

Crédit photos :
Fotolia : Andrzej Tokarski

Couverture & illustrations :
Akila Bellil

Dépôt légal 1er trimestre 2010
ISBN 978-2-35469-053-3

Achevé d'imprimer en mars 2010
sur les presses du Groupe Horizon
200 avenue de Coulin – 13420 Gémenos-F

N° d'impression : 1003-150
Imprimé en France

Editions Clairance
30-32, rue de Lappe
F-75011 Paris
33 (9) 50 76 40 28
info@editions-clairance.fr

Vitamines & minéraux

Monique Pelletant

Sommaire

De l'énergie à revendre

Vous vous sentez fatigué ? Vous êtes déprimé ? Vous manquez de tonus ? Ou vous avez réellement des problèmes de santé ? C'est sans doute que vous ne consommez pas suffisamment de vitamines apportées par l'alimentation et essentielles pour votre organisme.

Ce sont ces vitamines qui régulent le fonctionnement des cellules, contrôlent les processus de croissance et de réparation des tissus, stimulent la production d'énergie...
Il vous appartient donc d'avoir une nourriture variée et de toujours veiller à bien vous « vitaminer». Grâce à une excellente connaissance des symptômes de carence et des fonctions des différentes vitamines.
De même, les minéraux ont une importance capitale pour la santé de votre organisme. Ils sont une bonne vingtaine à jouer un rôle clé dans le contrôle des processus métaboliques ou le fonctionnement des cellules. L'ennui, c'est que si certains d'entre eux sont présents en quantité assez importante dans votre corps, d'autres, pourtant indispensables pour de nombreux processus chimiques, n'existent qu'à l'état de traces... Il vous faut donc savoir quels aliments vont vous apporter les minéraux nécessaires et vous éviter des carences, hélas fréquentes, en fer, en calcium ou en iode...
Enfin, outre les vitamines et les minéraux, il est établi depuis longtemps que des compléments alimentaires comme les fibres, les algues ou l'ail peuvent favoriser la prévention de certaines maladies. Tandis que les compléments médicamenteux ne sont, eux, conseillés qu'aux personnes qui souffrent d'une maladie chronique ou qui se nourrissent très mal.

Alors plus une seconde à perdre ! N'hésitez pas à puiser dans ces pages de précieuses connaissances, scientifiquement et médicalement reconnues. Afin que vous ayez de l'énergie à revendre et qu'en ce début du XXIème siècle, une nouvelle vie commence pour vous...

A tout âge, le bon équilibre

Si les bienfaits des bonnes habitudes alimentaires ne sont plus à démontrer, l'art de manger équilibré semble toujours relever de la plus grande difficulté. Contrairement à ce l'on croit communément, le choix des aliments ne doit pas être laissé au hasard : il ne s'improvise pas. Mais l'enjeu en vaut la peine. Car bien se nourrir va souvent de pair avec bien dormir, bien travailler, bien aimer... bien vivre !

Sommes-nous tous égaux devant la loi... nutritionnelle ?

Contrairement à une idée beaucoup trop communément répandue, la faim et la satiété ne relèvent pas du tout de mécanismes simples et ne doivent pas de surcroît être confondues avec l'appétit, dont le ressort est en quelque sorte « autonome », ou plus exactement actionné par des facteurs souvent indépendants de toute considération physique. Vous avez forcément eu l'occasion de constater que des personnes victimes d'un malheur, soumises à des préoccupations majeures (tracasseries ou ennuis de tous ordres...) ou contraintes d'endurer de constantes agressions psychologiques et psychiques, sont capables de maigrir ou de prendre du poids sans modifier leur alimentation quotidienne.

Sur fond de fatigue, de désordres et d'affections parfois sévères (migraine, hypertension artérielle, ulcère, infarctus...). La question nutritionnelle a donc une dimension à la fois « structurelle » et « conjoncturelle ». Car la vie des êtres humains - et la vôtre n'échappe pas à la règle - ne peut pas être linéaire. Par essence, elle est l'attente permanente de ce que vous n'avez pas prévu. Les surprises et le stress qu'elle vous réserve vont venir affecter le processus alimentaire. De manière d'autant plus « personnalisée » que nous sommes loin d'avoir, les uns et les autres, le même comportement devant la nourriture d'une manière générale, et certains aliments en particulier...
En outre, les êtres humains ne sont pas égaux face aux éventuels désordres nutritionnels : leur « protection » génétique est très variable, et parfois inexistante au point de

les transformer en personnes dites « à risque ». Enfin, le caractère particulier de certaines périodes de la vie notamment pour les femmes (syndrome prémenstruel, ménopause, grossesse...) ne saurait vous échapper : il a, lui aussi, des incidences directes sur les besoins d'ordre alimentaire.

Mieux manger, mieux s'analyser et ne plus être fatigué...

Cependant, quels que soient votre âge, votre situation personnelle, relationnelle ou professionnelle, il s'agit pour vous de mieux manger. Ce qui ne signifie absolument pas manger plus. Car vous risqueriez un excès de poids important et d'inéluctables troubles ou complications, à moyen ou long terme. En particulier si vous êtes un homme (la courbe de mortalité masculine s'aligne... sur le tour de ventre !).

Mieux manger, c'est souvent manger « léger »... ou de manière légèrement différente. Ou encore manger autrement. Tout en buvant plus... et mieux. C'est-à-dire au moins un litre et demi par jour. Non bien sûr sous la forme d'une boisson alcoolisée, d'un cola ou d'un soda, mais sous celle de l'eau, en ses versions multiples et « combinées » : eau du robinet, eau de source, eau minérale, tisane, bouillon de légumes, lait, orange, citron ou pamplemousse pressé...
Après avoir effectué une sorte de bilan de son mode de vie, avec ces « déterminants » importants que sont la fréquence et le lieu des repas, la consommation de tabac, l'absorption d'alcool, de boissons diverses, de médicaments...

En pratique, vous êtes souvent amené à découvrir que vous représentez, beaucoup plus que vous ne l'imaginiez, une « entité » particulière et que ce qui vaut pour votre voisin peut ne pas vous convenir... A terrain « individualisé », régime ou traitement « personnalisé ».
Immanquablement. Pour des raisons de commodité intellectuelle, il est certes aisé - et fréquent - de classer les cas par grandes catégories, en fonction des réactions observées. Mais ce type de simplification, d'un intérêt plutôt théorique, atteint vite ses limites...

En pratique aussi, l'examen clinique rigoureux d'un médecin se montre rarement superflu. C'est presque toujours grâce à lui que des résolutions, jusqu'alors trop bonnes pour ne pas être illico presto remises à plus tard, prennent une allure impérative. Ne vous imaginez pas que vous êtes un « cas » très particulier si vous apportez à votre alimentation un complément en ces oligo-éléments que les Anglo-saxons désignent volontiers sous le vocable d'« éléments traces ». En tant que tel, votre besoin est extrêmement partagé. Dans les pays occidentaux, la « déperdition » de minéraux est reconnue comme très importante et la plupart des organismes humains souffre d'un « déficit » plus ou moins grave.
Comme les troubles n'apparaissent en règle générale qu'au terme d'une évolution relativement longue, rares sont les personnes qui, d'elles-mêmes, établissent un rapprochement entre cette carence et ses conséquences...

Le plus souvent, les oligo-éléments se présentent sous la forme de capsules et d'ampoules, ce qui les rend en principe facilement assimilables. Mais ils doivent être adaptés à votre problème, à votre « terrain » et à la « réceptivité » de certains de vos organes (peau, reins, foie, intestins...). Une

« donnée » qui incite parfois à les associer à des plantes médicinales. En outre, vous ne devez jamais « perdre de vue » qu'au sujet de l'absorption des minéraux, la rigidité n'est pas de mise. En fonction de l'évolution de votre état de santé, vous pouvez parfaitement être amené à modifier, peu ou prou, votre choix thérapeutique, qu'il soit de nature préventive ou curative.
Très fiables et très couramment pratiquées, les analyses de sang et d'urines sont d'excellentes sources de renseignement : elles vous permettent de déterminer les carences de votre organisme et bien doser les oligo-éléments qui vous sont nécessaires. Réputée pour son extrême facilité d'interprétation, l'analyse d'un cheveu est également riche d'informations (la chevelure est un concentré extraordinaire de minéraux)... A prendre toutefois avec la pince à épiler, car les risques d'erreur inhérents au « vécu » du cheveu et à ses contacts réguliers avec une teinture, un shampooing antipelliculaire ou une eau de piscine ne sont pas négligeables.
Si le taux d'un minéral dans votre corps paraît se situer à un niveau anormal, n'en concluez pas trop rapidement à l'existence d'une seule cause. Cette situation trouve sans doute son origine dans votre alimentation insuffisante ou trop riche, mais elle s'explique peut-être aussi par la pollution de votre environnement ou par un mauvais méta-bolisme, à moins qu'elle ne soit que le résultat « cumulatif » de ces différents facteurs.
Enfin, si vous faites partie des personnes qui se plaignent d'être fatiguées et dont le nombre serait en constante augmentation, souvenez-vous qu'il est scientifiquement établi que les carences alimentaires variées sont à l'origine du syndrome de fatigue chronique, appelé sans doute à s'imposer comme l'un des plus grands « maux » sociaux de ce XXIème siècle. Par opposition à la caféine et à

la nicotine, stimulants artificiels et générateurs d'un accroissement de fatigue, certaines substances naturelles - vitamines (groupe B), minéraux (magnésium, fer...), ou compléments (ginkgo biloba, ginseng, gingembre, coenzyme Q10...) - vous sont tout particulièrement destinées en vue d'une optimisation de votre potentiel énergétique, d'une stimulation de votre système sanguin et nerveux.

Vitaminez votre vie !

Les vitamines méritent définition et classification. Ce sont les bases du savoir en matière de nutrition. Et si elles jouissent d'une vogue constante depuis des décennies, ce n'est pas sans raison. Mais l'énorme succès de la fameuse vitamine C ne doit surtout pas dissimuler l'existence de certaines autres qui méritent d'être mieux connues et mieux appréciées...

Vitamine A (rétinol et bêta-carotène) : mangez des carottes !

Si vous avez de l'acné, du psoriasis, un problème de vue ou un ulcère gastrique, vous êtes ou vous serez sans doute, d'une manière ou d'une autre, un adepte de la vitamine A. Beaucoup d'espoirs thérapeutiques, en particulier en dermatologie, se sont en effet appuyés depuis une quinzaine d'années, sur les vertus supposées de la vitamine A et de tous ses dérivés, le rétinol, le bêta-carotène et les acides rétinoïques. L'action, au moins préventive, de certaines propriétés est aujourd'hui scientifiquement reconnue.

A comme Animal ou comme vitamine A ? A comme Ambivalence en tout cas. Car la vitamine A ne provient pas uniquement du monde animal. Certes, le rétinol qui représente la forme naturelle de cette vitamine se trouve bien dans les produits d'origine animale. Associé à de la graisse, de l'huile ou d'autres protéines, il est métabolisé assez facilement par notre organisme. Mais le fameux bêta-carotène, parfois baptisé vitamine A « végétale » ou « provitamine A », si présent dans certains légumes verts et fruits de couleur jaune ou orangée, est transformé en vitamine A par le foie et relève du monde végétal.

Pour trouver cette vitamine A, notamment dans la version du rétinol, il suffit donc de viser directement le foie. Le nôtre bien sûr, mais aussi ceux des poissons et des autres animaux de la planète. Ce n'est pas sans raison si l'huile de foie de morue eut, en des temps qui ne sont pas si lointains, une immense renommée et laissa un souvenir ô combien durable dans des millions de bouches enfantines...

Aujourd'hui, si des gélules contenant de l'huile ou du liquide de foie de poisson sont toujours utilisées, le beurre, les oeufs crus (surtout le jaune d'oeuf), les laitages et le camembert apparaissent également comme de bonnes sources d'approvisionnement. Tandis que les carottes, les épinards (sous réserve qu'ils soient frais), les brocolis, le persil sont les principaux « fournisseurs » de bêta-carotène, avec, dans une moindre mesure, les patates douces, les melons et les abricots frais. Ne vous « focalisez » pas trop sur tel ou tel légume ou fruit : n'oubliez jamais que la diversification des sources de vitamines demeure la meilleure façon d'assimiler la vitamine A...

Outre son action de protection des muqueuses et des voies respiratoires, digestives et urinaires contre les infections, cette vitamine A présente deux précieuses particularités. D'une part, elle contribue à la formation des os et à la croissance. D'autre part, elle joue un rôle pour la vision et l'adaptation de l'oeil à l'obscurité. En d'autres termes, quelque peu simplificateurs, elle peut améliorer la vision nocturne. Un fait établi depuis des lustres.

Durant le siècle dernier, et plus précisément au cours de la Seconde Guerre mondiale, les pilotes de la Royal Air Force firent des carottes et des myrtilles leur grand « plat de résistance »... De nos jours encore, ce légume et ce fruit sont hautement recommandés aux commandants de bord des compagnies aériennes, ainsi qu'à certains autres professionnels qui travaillent de nuit ou qui ont besoin de préserver une excellente acuité visuelle.

Symptômes de carence

Si vous avez une mauvaise vue, et en particulier si vous éprouvez des difficultés visuelles à conduire durant la nuit ou a fortiori si vous êtes atteint de cécité nocturne, il est tout à fait possible, sinon probable, que vous souffrez d'une carence en vitamine A.
Il en va sans doute de même si vous avez beaucoup de pellicules et si vous souffrez d'acné. Enfin, la fréquence des infections ou des ulcères buccaux dont vous êtes victime peut donner à penser que votre consommation de carottes et d'épinards est nettement insuffisante.

Vitamine B1 (thiamine) : l'universelle

Autant le proclamer d'emblée : on ne dira jamais assez de bien de la vitamine B1 ! Outre ses heureux effets sur le moral et la croissance, elle est absolument nécessaire à la production d'énergie, à l'activité intellectuelle, au système nerveux, aux muscles et au cœur. Mais elle s'altère plus vite qu'elle ne s'acquiert. Une bonne raison de ne pas la négliger...

Bonne à tout faire, la B1 ? Il serait plus que tentant de le croire, tant ses fonctions sont multiples et étendues... Parce qu'elle agit sur le métabolisme des glucides, des graisses, des acides aminés, la vitamine B1 intervient en effet sur l'ensemble du système digestif et sur la transmission de l'influx nerveux. C'est elle qui contrôle des enzymes chargées de la production d'énergie à partir du glucose. C'est encore elle qui facilite la production énergétique nécessaire au bon fonctionnement des nerfs, des muscles et du cœur. C'est elle enfin qui se trouve en grande quantité dans les aliments à la fois les plus complets et les plus divers : le pain (quand il est complet bien sûr !), le riz brun (et uniquement brun), les flocons d'avoine, les petits pois et les haricots (sous réserve qu'ils soient frais), les œufs, le foie, les rognons, le poisson, le porc, le lait... Mais attention ! Cette vitamine majeure qu'est la B1 est soluble dans l'eau et ne reste pas stockée dans le corps. Au contact aussi bien de l'air et de l'eau que de la caféine, de l'alcool, des adjuvants alimentaires ou des œstrogènes, elle s'altère et disparaît comme par un détestable enchantement... En fait, elle paraît extrêmement sensible à l'action de la chaleur. C'est sans doute ce qui explique en partie que les produits qui portent la mention

« enrichi en thiamine » sont en règle générale... beaucoup plus pauvres qu'ils le proclament. Tout simplement parce que leur fabrication, avec les différents processus de raffinement ou de conditionnement, entraîne inévitablement l'élimination partielle sinon totale de la thiamine (le plus souvent, l'adjonction annoncée ne fait que compenser plus ou moins bien cette disparition).
En Extrême-Orient, il arrive que des personnes souffrent d'un grave manque de vitamine B1, au point d'être atteintes d'une maladie qui doit son nom à une langue indigène de l'Inde, le béribéri, et son origine la plus fréquente à une grosse consommation de riz poli, dépourvu de sa cuticule.

En Europe, une alimentation à base de conserves ou d'aliments (lait, farine) stérilisés peut aussi provoquer l'apparition de cette affection.
Si vous souhaitez vous prémunir contre toute carence en thiamine, n'hésitez pas à manger régulièrement du pain de son (ou du pain complet), du chou rouge, des myrtilles et du poisson cru. Souvenez-vous également que toute personne qui consomme du tabac, de l'alcool, des contraceptifs oraux et du sucre sous différentes formes a des besoins importants en cette vitamine B1, contenue principalement dans les levures et dans la cuticule des céréales, dans les

INFOS EN +

• Particulièrement rassurant pour les gros consommateurs de pain complet ou de lait cru : la vitamine B1 n'est en aucune façon toxique. Quel que soit son dosage.

• B 1, B2 ou B6... Peu importe le numéro pourvu que vous ayez la lettre ! Les vitamines B fonctionnent « en synergie » : elles peuvent être absorbées simultanément en quantité équivalente, sans le moindre risque.

tiges, les racines, les feuilles des végétaux comestibles, ainsi que dans le lait et le beurre...
Il existe enfin des préparations synthétiques de thiamine ou à base de thiamine, mais elles ne se justifient que dans certains cas et sous contrôle médical.

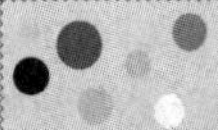

Symptômes de carence

Si vous êtes hypersensible aux bruits, peut-être êtes-vous, sans le savoir, en sérieux manque de vitamine B1. A moins que vous ne soyez atteint du béribéri, cette maladie due à l'absence de vitamine B1 dans les aliments. Avec des conséquences pour vos nerfs périphériques ou pour votre pneumogastrique. La thiamine est de toute façon plus que conseillée lorsque vous ressentez des douleurs postopératoires ou dans le cadre du traitement de l'herpès, du zona ou de l'épilepsie. Enfin, une névralgie du trijumeau ou une neuropathie sensitive dans le diabète peuvent justifier d'y avoir recours.

Vitamine B2 (riboflavine) : elle est partout !

Elle est partout. Enfin presque. Et c'est heureux puisque cette vitamine B2 a pour vertu essentielle de favoriser la libération de l'énergie apportée par l'ensemble des aliments que vous consommez jour après jour...

Elle ne se contente pas d'exercer une influence importante sur le métabolisme des glucides, des lipides, et des protides. Elle joue un rôle plus que notable dans les cellules du système nerveux. Elle fait partie des vitamines avec lesquelles il vaut mieux compter. Forcément. La B2, autrement dit la riboflavine, ressemble beaucoup à la B1, puisqu'elle a cette caractéristique commune d'être à la fois soluble dans l'eau et facilement assimilée par l'organisme humain. Mais sa volatilité est heureusement moindre que celle de la thiamine. A priori seulement. Car si vous avez la mauvaise habitude d'abuser des antibiotiques, des œstrogènes, de la caféine et de l'alcool, nul doute que cette B2 jouera illico presto les « filles de l'air »... De même, tout excès de zinc ou toute exposition

INFOS EN +

• Prendre de la riboflavine en comprimés par dizaines de milligrammes n'a rien de dangereux. En tant que telle, cette vitamine n'a rien de toxique. A trop forcer la dose, vous vous exposez à d'éventuelles petites sensations (torpeurs ou picotements).

• L'absorption fréquente de laitages suffit à un apport normal en vitamine B2. Mais trop de personnes ont tendance à oublier que leur consommation quotidienne de tabac et de caféine la rend complètement vaine.

prolongée à la lumière du soleil la font fuir dare-dare. Car la riboflavine est moins sensible à votre charme, aussi rayonnant soit-il, qu'aux pâles ou brillants assauts du bel Apollon. Ce n'est pas sans raison si le flaconnage du lait est, en principe, opaque... Aux côtés d'une multitude d'autres aliments - de la viande au poisson, en passant par les céréales complètes ou les œufs -, le lait figure en effet parmi les meilleures sources d'approvisionnement en B2.

Si vous souffrez d'insomnies, si vous vous désolez de constater que votre peau est abîmée ou si vous ressentez une réelle fatigue visuelle ou des affections oculaires (de type cataracte ou autre), tentez une posologie à base de vitamine B2 qui devrait de toute façon avoir de bons effets dermatologiques, et plus particulièrement sur la santé de vos cheveux et de vos ongles.

Symptômes de carence

Il n'est pas certain que vous puissiez aisément vous rendre compte du manque de vitamine B2 dans votre organisme. Tout simplement parce que la riboflavine est présente dans un si grand nombre d'aliments qu'une carence à la fois fréquente et importante en devient improbable.

Néanmoins, si vous ressentez une hypersensibilité à la lumière et si vos yeux sont parfois injectés de sang, vous avez sans doute intérêt à vous interroger sur la composition de votre alimentation quotidienne, certainement très déséquilibrée et préjudiciable à votre métabolisme. Une résolution identique s'impose si vous êtes victime d'insomnies ou si vous constatez quelques douleurs dans votre bouche ou à vos lèvres. D'une manière générale, le stress, d'ordre physique ou émotionnel, est symptomatique d'un besoin crucial et souvent croissant de vitamine B2. Chez la femme, le fait d'être enceinte, d'allaiter ou de prendre la pilule va également de pair avec ce processus d'augmentation et peut justifier d'y avoir recours.

Vitamine B3 (niacine) : le cérébral et l'hormonal

Elle a deux formes fondamentales : le nicotinamide et l'acide nicotinique. Et deux propriétés essentielles : un fonctionnement cérébral normal et une production tout aussi normale des hormones sexuelles. La B3 n'est donc pas une vitamine de troisième ordre, mais de premier plan. Ne badinez pas avec la niacine. En cas de carence grave, les conséquences peuvent être plus que gênantes : fulgurantes !

Soyez d'emblée rassuré : la vitamine B3 ne fait pas partie des raretés qui impliquent une recherche effrénée... Elle se trouve tout naturellement dans les viandes maigres, la volaille, le poisson, les fruits à écale (c'est-à-dire les noix, noisettes, amandes ou châtaignes) et les haricots secs. Mieux encore : votre organisme a l'élégance d'en fabriquer une petite quantité à partir du tryptophane, cet acide aminé qui provient de la digestion des protéines.

Grâce à la B3 que vous ingérez et que vous produisez quotidiennement, vous avez donc toutes les chances d'assurer le bon fonctionnement de votre système nerveux et digestif, et surtout - *last but not least*, comme diraient certains Anglais qui, en matière de B3, sont réputés avoir beaucoup à prendre ou à apprendre - de faciliter une honnête production de vos hormones sexuelles !

Si vous êtes une femme qui souffre de migraines, de problèmes de circulation sanguine ou de règles très irrégulières, vous pourriez être bien inspirée de vérifier votre

taux en vitamine B3 et, le cas échéant, d'absorber, sur prescription médicale, 100 mg de niacine par jour. A fortiori si vous êtes enceinte, si vous prenez un contraceptif oral ou si vous allaitez.
D'une manière générale, les asthmatiques, diabétiques ou « champions » du cholestérol à taux élevé peuvent tirer un parti précieux de la vitamine B3. De même que toute personne dont les fonctions cérébrales sont fortement sollicitées. Ce n'est pas sans raison si certains problèmes d'ordre psychiatrique - parfois fort sérieux quand il s'agit de schizophrénie ou de dépression accentuée - semblent intimement liés, au moins en partie, à une carence en niacine.

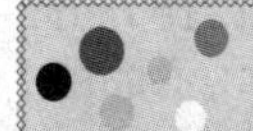

Symptômes de carence

Manque d'appétit ? Problèmes digestifs ? Ou insomnies à répétition ? Il se pourrait bien que vous soyez concerné au premier chef par une carence en vitamine B3. Une fatigue chronique ne fait en général que confirmer le soupçon. D'autres symptômes se révèlent parfois significatifs, comme certaines manifestations d'irritabilité ou de petits phénomènes d'ordre dermatologique (cas, entre autres, des ulcères buccaux). Par précaution, vous devez alors veiller à votre absorption régulière de vitamine B3.
Mais il est des affections qui traduisent un désordre alimentaire beaucoup plus grave et impliquent une véritable thérapie. Si vous êtes par exemple victime de vertiges dans le cadre du syndrome de Ménière, vous avez plus qu'intérêt à faire votre « examen de conscience » au sujet de votre mode de vie et de votre alimentation. Le plus souvent, une profonde remise en question s'imposera. Mais pour augmenter votre taux en vitamine B3, vous aurez au moins le plaisir d'apprécier les charmes des avocats, des graines de tournesol...

Vitamine B5 (acide pantothénique) : l'anti-stress

Assurément, la vitamine B5 n'a que des effets désirables... Grâce à elle, plus de fatigue et plus de dépression. A condition de proscrire alcool, café, somnifères et œstrogènes... La vitamine B5, autrement dit l'acide pantothénique, mériterait un surnom. Elle devrait s'appeler « l'anti-stress». Ou encore « l'anti-dépression». Tant elle joue un rôle essentiel sur la glande qui produit l'adrénaline et sur la transformation des hydrates de carbone en énergie. Il suffit qu'elle nous manque, ne serait-ce qu'un tout petit peu, pour que nous nous sentions fatigués... Ses vertus sont magiques. Non seulement elle renforce notre système nerveux, contribue à maintenir une croissance normale et permet la synthèse des anticorps, mais encore elle aide à cicatriser et à prévenir pratiquement toutes les maladies inhérentes au stress...

INFOS EN +

- Les aliments mis en conserve sont en général dépourvus de vitamine B5. Certains problèmes dermatologiques peuvent s'expliquer par une carence en acide pantothénique.
- La vitamine B5 régénère les épithéliums et les phanères (ongles, cheveux...)

Autre avantage caractéristique : elle se trouve aussi bien dans la viande, les céréales, le foie et les œufs que dans les noisettes ou les légumes verts. Un inconvénient toutefois relativement banal au sein du groupe des vitamines B : l'acide pantothénique est soluble dans l'eau et résiste fort mal à l'alcool, à la caféine, aux procédés de raffinage des aliments et, d'une manière générale, au conditionnement alimentaire. Pour votre apport quotidien - à raison de 300 mg par jour voire de 500 mg par jour si vous ressentez de réels problèmes immunitaires -, vous pouvez donc être appelé à avoir recours à un complément alimentaire approprié, composé uniquement de B5 ou associé à une dose de vitamine C.

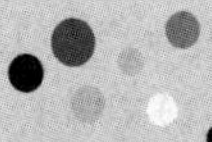

Symptômes de carence

Toute manifestation de faiblesse ou de fatigue de votre part vous rend presque toujours suspect d'absorption insuffisante de vitamine B5... Mais des faits très précis peuvent mériter d'être perçus comme des signes avant-coureurs d'une grave insuffisance : la perte d'appétit, des ulcères du duodénum, une hypoglycémie, des sensations de brûlure dans les pieds, des troubles cutanés (ou d'ordre dermatologique)...

Vitamine B6 (pyridoxine) : la généraliste

Elle a beau se trouver dans la volaille, le porc, le poisson, les pommes de terre, les choux, les céréales, les graines, les fruits et les légumes... Elle peut pourtant se signaler en quantité insuffisante dans votre organisme si vous mangez des aliments de médiocre qualité ou si vous êtes grand amateur de plats cuisinés. Avec des incidences aussi générales que démultipliées...

Vous avez des crampes dans les jambes ? Des syndromes prémenstruels ? De l'asthme ? Des calculs rénaux ? Ou encore des faiblesses dans les mains ou des troubles de la peau ? Si c'est le cas, n'hésitez pas à tabler sur la vitamine B6, qui pratique volontiers la médecine généraliste. Et dans un esprit drôlement charitable. En à peu près tout et pour tous, elle aide. D'abord à libérer l'énergie apportée par les aliments. Ensuite à fabriquer les globules rouges et les anticorps. Enfin, elle assure le fonctionnement du système nerveux. En langage scientifique, son influence sur le métabolisme des acides aminés et des protéines, et sur le métabolisme hépatique se traduit par une action de transamination-désamination, de synthèse du GABA (neurotransmetteur)... En langage littéraire, cette B6 est tout bonnement la vitamine de l'humeur et des rêves. En son absence, vous ne pourriez pas vous remémorer vos songes les plus fous... A priori, nous ne devrions jamais souffrir de la moindre carence : la pyridoxine se trouve en effet partout ou presque. Dans le poisson comme dans la viande, dans les fruits comme dans les légumes. Pourtant, les carences sont fréquentes. Pour deux raisons essentielles. D'une part, cette vitamine soluble dans l'eau est réduite à néant ou presque par la digestion... En cas d'excès, elle est de toute façon systématiquement évacuée environ huit heures après son absorption par notre organisme...

D'autre part, sa destruction est quasi totale à l'occasion des processus de raffinage des aliments. Contrairement à une idée hélas trop communément répandue, le simple fait qu'elle soit naturellement contenue dans tel ou tel aliment ne la protège en aucune façon. Par conséquent, il paraît souhaitable de s'orienter vers des denrées alimentaires non dénaturées, ou aussi faiblement que possible. Surtout si vous consommez trop de protéines, si vous buvez fréquemment de l'alcool, ou si vous prenez la pilule. Car, dans ces trois cas de figure, vous avez certainement de gros besoins en B6.

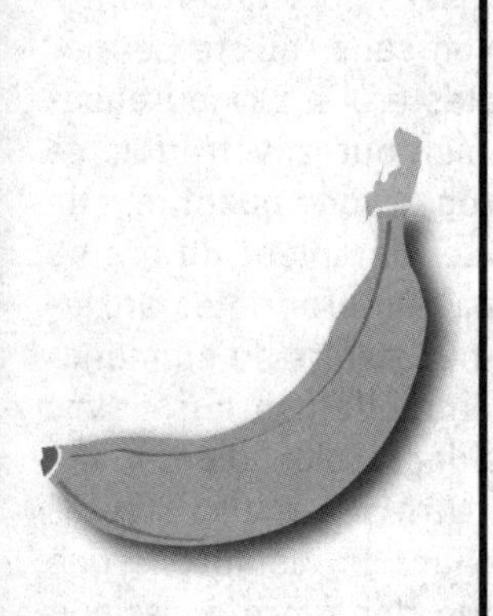

INFOS EN +

- Pour avoir l'assurance d'un apport satisfaisant en vitamine B6, il vous suffit de manger des bananes (de préférence biologiques).

- Les gros consommateurs d'alcool ont un besoin important en B6.

- Le syndrome du canal carpien dans la maladie de Parkinson peut s'atténuer grâce à la pyridoxine. Mais certains traitements sont peu compatibles avec son absorption. La prudence est donc de rigueur.

Vitamine B7 (inositol) : l'anti-cholestérol

Anxiolytique ? Ou lipotrope ? Les deux, mon général ! La vitamine B7 sait se mettre au garde-à-vous dès qu'il est question de dépression ou de cholestérol. Mais c'est peut-être son efficacité dans l'élimination des graisses présentes dans le foie qui lui vaut sa meilleure réputation... et ses galons gagnés sur les champs de bataille les plus délicats.

Aussi curieux que cela puisse paraître, il n'existe aucun symptôme de carence de la vitamine B7 qui soit scientifiquement reconnu. Certes, quelques études soupçonnent que certains eczémas ont pour origine partielle une carence en B7. Mais ces observations restent sujettes à caution. Ce qui est sûr en tout cas, c'est que cette B7 fait partie des substances souvent utilisées pour lutter contre le taux excessif de cholestérol. Non sans raison. Le métabolisme de la graisse et du cholestérol n'a rigoureusement aucun secret pour elle. Si bien que si votre foie se met à contenir des graisses en trop grande quantité, elle sait en principe intervenir et limiter l'ampleur du drame qui se noue... Comme elle a aussi des propriétés anxiolytiques reconnues et qu'elle est nécessaire au bon fonctionnement des cellules du cerveau, elle agit aussi avec efficacité dès qu'il est question de dépression, d'eczéma... et de problèmes de cheveux. A titre préventif et curatif, vous pouvez donc l'absorber. Sans le moindre risque puisqu'elle n'a aucun effet toxique démontré à ce jour. A l'état naturel, vous la trouvez aisément dans une multitude d'aliments. Des agrumes aux abats, en passant par les cacahuètes ou les céréales. Quand la saison s'y prête, une « cure » de raisin vous fera le plus grand bien. A moins que vous ne préfériez tabler sur d'excellents pruneaux (si possible dépourvus de traitements chimiques plus ou moins nocifs). Si de très nombreux compléments alimentaires contiennent actuellement une dose de vitamine B7 et font l'objet d'une commercialisation assez massive, le recours aux denrées naturelles, dès lors qu'il est facile et relativement peu coûteux, reste préférable.

INFOS EN +

L'association de la B7 avec le calcium est plus que souhaitable. Comme l'inositol a pour caractéristique d'accroître le taux de phosphore dans l'organisme, elle permet de garantir l'équilibre du phosphore et du calcium.

Vitamine B 8 (ou vitamine H ou coenzyme R ou biotine) : la fée du cheveu

Elle a un nom double, triple, ou quadruple... Ce qui peut donner à penser qu'elle a des difficultés d'insertion. Mais qu'importe ! Cette substance qui ressemble à une vitamine sans en être une fait bel et bien partie de la famille des vitamines B : c'est la biotine ou la coenzyme R. Et ses deux vertus reconnues la rendent sympathique : elle augmente l'appétit, et surtout elle participe trop à la lutte contre la chute des cheveux et contre le grisonnement prématuré pour ne pas plaire aux hommes...

Sur le plan scientifique, la B8 se présente comme un acide complexe organique qui contient du soufre et que la flore intestinale synthétise avec une relative facilité. Elle exerce son action sur le métabolisme des glucides, lipides et protides. Ce qui explique qu'elle puisse avoir des effets positifs sur l'appétit... Sans trop d'exagération, il est permis de proclamer haut et fort que tout ce qui relève de la croissance d'un individu, de la santé de sa peau, de ses cheveux, de ses nerfs, de sa moelle épinière et de ses

INFOS EN +

- L'alcool, les œstrogènes et les médicaments à base de soufre sont les ennemis déclarés de la biotine qui ne résiste pas à leurs assauts... De même, certains modes de préparation ou de transformation des aliments lui sont fatals.
- Le blanc d'œuf cru a tendance à entraver le processus d'assimilation de la B8.
- Si vous prenez des antibiotiques durant une longue période, ayez conscience que vous soumettez votre flore intestinale à rude épreuve et que vos besoins en vitamine B8 ne peuvent que sensiblement augmenter.

glandes sexuelles passe par elle. Rien d'étonnant dans ces conditions si des chercheurs l'ont mise à contribution pour prévenir non seulement la chute des cheveux, mais encore leur grisonnement quelque peu précoce. Rien d'étonnant non plus si de nombreux produits alimentaires « multivitaminés » en contiennent et si certaines préparations dermatologiques l'associent aux vitamines B2, B3, B6 et A pour un meilleur entretien de la peau... Un peu de biotine par ci, un peu de biotine par là, c'est presque la « biotinemania ». Sans qu'il y ait de quoi s'en alarmer puisqu'aucun expert n'a, jusqu'à présent, démontré des effets toxiques. Simplement, il n'est pas forcément utile de rechercher la biotine à tout prix... puisqu'elle se trouve aisément dans ces aliments ordinaires que sont les produits laitiers, les céréales, les viandes, les jaunes d'oeuf ou le foie... Cette diversité des sources d'approvisionnement réduit considérablement le risque de carence. Si vous souhaitez vraiment améliorer le métabolisme de votre énergie, n'hésitez pas à grignoter quelques noisettes, noix ou amandes. Ces fruits à écale (surtout s'ils sont à l'état naturel, et donc dépourvus de tout traitement fâcheux ou adjonction regrettable) vous feront le plus grand bien.

Symptômes de carence

Un état d'épuisement peut traduire un sérieux manque de vitamine B8. Au même titre qu'un eczéma ou que certains autres problèmes d'ordre dermatologique. Mais bien souvent, c'est la perte ou le grisonnement prématurés des cheveux qui constitue le signal manifeste d'une insuffisance.

Vitamine B9 (acide folique) : primordiale pour le foetus

Connue sous deux autres appellations, acide folique et vitamine BC, la vitamine B9 a été identifiée à la fin du siècle dernier comme primordiale pour le développement du fœtus. Si bien qu'aujourd'hui, son absorption durant la grossesse est de plus en plus recommandée et paraît de nature à réduire les risques de malformations fœtales. Mais ses autres vertus thérapeutiques ne sont pas négligeables...

Soyons francs. L'acide folique, c'est follement scientifique. Follement chic aussi. Le type même de vitamine qui intervient vraiment là où il faut. C'est-à-dire comme coenzyme à la fois dans la synthèse des neurotransmetteurs (norépinéphrine et sérotonine) et dans celle des nucléoprotéines... La vitamine sympa en somme, qui, chez certains sujets - autrement dit, des gens comme vous - a le bon goût de faire preuve d'une action antidépressive et analgésique hautement prononcée. Mieux encore, dès qu'il est question d'anémie, d'un problème immunitaire ou dermatologique,

INFOS EN +

- Pris en doses importantes, l'acide folique peut entraîner des irritations cutanées (de caractère relativement bénin).
- Si vous buvez abondamment, si vous prenez plus de 2 grammes de vitamine C par jour, si vous avez une carence en zinc ou si vous prenez des médicaments contre l'épilepsie, vous avez intérêt à absorber davantage de vitamine B9.
- Les femmes enceintes peuvent prendre jusqu'à 400 mg par jour (sur prescription médicale au-delà de cette dose).

ou d'un empoisonnement alimentaire, la B9 est aux ordres. Au point que même certaines anomalies du col de l'utérus ne sauraient la laisser indifférente.

Alors, si vous êtes aux prises avec une maladie, ou d'une manière générale, si votre système immunitaire vous semble déficient, n'hésitez pas à avoir recours à cette B9 toujours de service. En mercenaire digne de votre confiance, elle va permettre la formation de nouveaux globules rouges et la réparation de vos cellules.
Nécessaire à l'utilisation du sucre et des acides aminés, elle démontrera également sa capacité de production des acides nucléiques. Et si vous ne la méprisez pas trop, elle n'aura pas le culot de vous faire défaut. Vous la trouverez en effet aisément dans de nombreux aliments : les légumes verts, les champignons, le foie, les fruits à écale (en particulier les noix), les haricots secs, les petits pois, les jaunes d'œufs, les avocats, les melons, les oranges fraîches, le pain complet...

Symptômes de carence

Les troubles de la mémoire et les problèmes digestifs trouvent souvent leur origine, au moins en partie, dans l'insuffisance de vitamine B9. De même, les fausses couches, la lactation anormale dans la période d'allaitement naturel, ou certains problèmes à la naissance (en particulier le spina-bifida) peuvent, en quelque sorte, porter la marque de cette carence. D'une manière générale, la fatigue, une immunité réduite, une tendance à l'insomnie ou à l'anorexie sont révélatrices d'une anomalie.
En France, une personne âgée sur deux manquerait de vitamine B9. Et ce serait également le cas d'au moins un Français sur cinq âgé de quarante ans ou plus et apparemment en bonne santé.

Cependant, si vous avez la muflerie de ne pas l'entourer d'un minimum d'attentions, elle vous échappera allègrement. Car la B9 ne résiste ni à la cuisson ni à certains modes de préparation des aliments. L'exposition à l'air, la lumière aussi, ne lui valent rien. Alors de grâce, mangez crûment et, comme on disait autrefois, quand les aiguilles des réveils tricotaient l'écharpe du temps et que les dames avaient des bas, baissez un peu l'abat-jour...

Vitamine B12 (cobalamine) : pour le système nerveux

On la surnomme la « vitamine rouge ». Non pour sa couleur naturelle et encore moins pour sa coloration politique, mais parce qu'elle se trouve exclusivement dans les produits d'origine animale. Cette vitamine a, depuis toujours, bonne réputation et ses effets sont reconnus sur notre bien-être. Preuves à l'appui.

Antianémique ou anti-asthénique par principe. Antalgique parfois. Anti-dépressive souvent... Inutile d'insister : la B12, seule vitamine riche en minéraux essentiels, sait tenir son rang dans le groupe des vitamines B. Bien que notre organisme en réclame peu, elle se montre essentielle à notre système nerveux, et, d'une manière générale, à la croissance et au développement de l'être humain. Elle

INFOS EN +

- La B12 est réputée pour sa capacité à désintoxiquer la fumée du tabac et le cyanide des aliments. Chez certaines femmes, elle aurait un effet heureux sur les syndromes prémenstruels.
- Comme la B12 a tendance à mal circuler dans notre organisme, les comprimés à effet différé peuvent se révéler utiles et en particulier favoriser la diffusion de la vitamine dans l'intestin grêle.
- Jusqu'à présent, la toxicité de cette vitamine est reconnue comme nulle. L'absorption à haute dose ne présente en principe aucun risque particulier. Mais il vaut mieux que vous soyez prévenu : plus vous en ingérez et moins la B12 s'assimile facilement...
- Les somnifères, les œstrogènes, l'alcool, de même que la lumière du jour, sont fortement nuisibles à la cobalimine.

nous est extrêmement précieuse. Et d'autant plus qu'elle est très fréquemment mal absorbée, mal digérée... A l'état naturel, elle se trouve en effet non seulement dans la viande, mais aussi dans le lait ou le fromage qui ne sont pas forcément appréciés de tous les palais ou de tous les estomacs. Autre argument fort pour ne pas sous-estimer l'importance de cette B12 : si notre organisme vient à en manquer, le risque d'anémie n'est pas loin... Ce qui explique d'ailleurs que les amateurs de régimes végétariens aient le souci de compléter leur ordinaire alimentaire par un complément bien dosé et que les médecins soient parfois amenés à prescrire des doses de B12, associée le cas échéant à d'autres vitamines du groupe B, sous forme d'injection (solution efficace et même indispensable dès lors que l'absorption par voie buccale est vouée à l'échec ou impossible).
Si les produits d'origine animale sont tous riches en B12, le foie et les rognons représentent des « gisements » à haute teneur garantie.

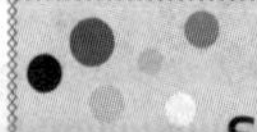

Symptômes de carence

Cinq ans ! Oui, les premiers symptômes de carence en vitamine B12 peuvent mettre cinq ans voire davantage avant de se manifester de manière claire. Mais ils peuvent être très lourds de conséquences. Il s'agit en effet d'anémie, de problèmes cardiaques plus ou moins préoccupants, de dommages plus ou moins réparables sur le cerveau ou les nerfs... Si vous ressentez des problèmes d'appétit, une fatigue récurrente, des douleurs chroniques, montrez-vous vigilant.
Les personnes âgées souffrent souvent de carences. En partie sans doute parce que les troubles intestinaux, les diarrhées chroniques gênent considérablement l'absorption de la vitamine B12.

Vitamine C (acide ascorbique) : l'universelle

Pour tous et pour tout ! Parée d'innombrables vertus, la fameuse vitamine est assurément l'une des principales vitamines du système immunitaire. Mais comme notre organisme ne peut la stocker, il paraît toujours bon d'en avoir à n'importe quel âge d'en avoir conscience et de veiller à une consommation régulière de fruits et légumes frais... et crus.

Ses propriétés pourraient se résumer en une phrase : la vitamine C soutient l'ensemble de notre système immunitaire. Largement de quoi occuper la première place dans notre foie, nos reins... et notre coeur ! Elle nous veut du bien. A nous de lui rendre la pareille. Juste renvoi d'énergie. Car elle se dépense sans compter. Pour préserver nos gencives, nos dents, nos os, nos vaisseaux sanguins. Pour améliorer notre assimilation du fer. Elle est la « vitamine » par excellence, c'est-à-dire la substance nécessaire à la vie. Mais comme nous sommes incapables de la synthétiser et de la stocker, nous devons impérativement la puiser dans notre alimentation.

En principe, il faudrait consommer quotidiennement des légumes ou des fruits frais, crus ou légèrement cuits à la vapeur puisque la cuisson fait tout perdre ou presque. Mais la vitamine C peut s'absorber sous des formes très diverses : ampoules, gélules, comprimés (jugés efficaces), poudres (plutôt recommandées, car considérées comme moins agressives pour les organes digestifs).

Qu'il s'agisse de prévenir les rhumes ou d'autres maladies infectieuses, de réduire le cholestérol, ou de guérir brûlures et blessures, les « bonnes causes » qui justifient d'avoir recours à ses services sont extrêmement abondantes. A coup sûr, la « C » stimule l'activité immunitaire, atténue les effets de nombreux allergènes (les personnes asthmatiques lui en sont particulièrement reconnaissantes), réduit les risques de caillots sanguins dans les veines... A coup sûr aussi, elle ne se laisse impressionner ni par les intoxications, ni par les maladies dégénératives, et encore moins par le vieillissement. Véritable médicament-miracle, simple et universel, elle serait même capable - on ne prête qu'aux vitamines les plus riches, c'est bien connu - de prévenir (c'est scientifiquement démontré), traiter (c'est moins bien reconnu) voire de guérir (cela reste à établir) certaines formes de cancer ! En tout cas, il n'est pas contestable que l'organisme humain ne puisse sans risque mortel se passer, pendant une très longue période, d'agrumes, de légumes verts, et de poisson frais. Et nul ne saurait sérieusement contester que la « C » ne soit pas merveilleusement conforme aux besoins de notre époque. Bénéfique pour les fatigués et les déprimés. Calmante pour les anxieux et les insomniaques. Bonne. Généreuse puisqu'il est toujours permis - et même recommandé - d'en prendre plutôt plus que pas assez... Bref, très BCBG, la vitamine C !

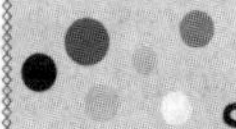

Symptômes de carence

D'une manière générale, la fatigue est sans aucun doute, avec la déficience immunitaire, l'un des principaux signes d'une insuffisance de vitamine C dans l'organisme. Mais des problèmes sanguins et dermatologiques (saignements, douleurs gingivales...) sont d'autres symptômes importants.

INFOS EN +

• La cuisson des aliments est grandement destructrice de la vitamine C. De même que leur exposition à l'air (surtout une fois tranchés) et leur trop longue conservation. Autre grand ennemi de l'acide ascorbique : le monoxyde de carbone, autrement dit le gaz carbonique. Si la zone géographique où vous habitez est très polluée, vous devez donc être particulièrement attentif à ne pas négliger votre consommation d'agrumes, de tomates et de légumes verts (notamment le brocoli, le poivron vert et les choux de Bruxelles…).

• La consommation d'alcool et de tabac provoque un net accroissement des besoins en vitamine C. De même que le stress, les infections, ou encore l'aspirine et la pilule. Souvenez-vous toujours que votre cerveau est le plus grand consommateur d'oxygène de votre organisme et que la vitamine C joue un rôle actif dans votre respiration cellulaire…

• Non toxique, y compris en cas de prises à fortes doses et en continu, la vitamine C doit pourtant - on ne le répétera sans doute jamais assez - être absorbée avec modération. Si vous en consommiez trop, vous vous exposeriez à des diarrhées ou à de petits problèmes dermatologiques. En outre, vous risqueriez des interférences regrettables avec d'autres vitamines et minéraux.

• L'absorption intestinale de l'acide ascorbique est meilleure lorsque la dose est fractionnée (le maximum quotidien d'absorption se situe aux alentours de 1 200 mg par jour, ce qui implique une dose globale d'environ 3 grammes).

• Associée avec le calcium et le magnésium, l'acide ascorbique est d'une efficacité renforcée.

Vitamine D (calciférol et ergocalciférol) : la reine des dents

D comme dent bien sûr ! La vitamine n'arbore pas la lettre D par hasard : c'est elle qui assure la formation des dents et qui garantit la solidité des os. Sans elle, pas de squelette en bon état ni de dentition saine. Vos enfants en ont donc impérativement besoin... mais ils ne sont pas les seuls. Loin de là. Explication... en quelques maux !

Les sources de cette précieuse substance sont essentiellement la lumière du soleil, les poissons gras (cas du saumon ou de la sardine) et les huiles de foie de poisson... Notre organisme est en effet capable de produire de la vitamine D s'il est exposé à la lumière. Mais attention ! Si le soleil agit sur les huiles de la peau pour nous alimenter en vitamine, le bronzage n'améliore pas du tout, contrairement à une idée beaucoup trop communément répandue, l'efficacité de la manœuvre. Il a même tendance sinon à l'entraver du moins à la gêner... Le soleil ne vous veut du bien qu'à la condition que vous lui rendiez bien et que vous le fréquentiez sans ostentation...

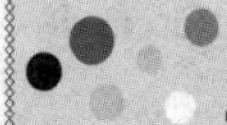

Symptômes de carence

D'une manière générale, les problèmes dentaires ne font souvent que refléter, outre des négligences en matière d'hygiène, une insuffisance en fourniture de vitamine D. A tout âge, mais plus particulièrement chez les enfants en bas âge où le rachitisme peut constituer une preuve irréfutable d'anomalie sérieuse. D'une manière générale aussi, tout ce qui relève de l'ostéoporose et de l'ostéomalacie est bien entendu symptomatique.

« Bronzer idiot », c'est s'exposer à de nombreux maux. Mais si vous habitez un endroit soumis à une forte pollution atmosphérique, vous devez également vous souvenir que vous ne fabriquez pas, de manière naturelle, assez de vitamine D. Vous devez donc veiller à vous approvisionner régulièrement, par voie orale. Absorbée avec les graisses, la précieuse substance a pour vocation démultipliée de s'infiltrer dans vos intestins, de faciliter la digestion de la vitamine A et de permettre la parfaite assimilation du magnésium, du calcium, du zinc, du fer, du phosphore et de plusieurs autres minéraux... La régulation de votre taux de calcium dans le sang dépend d'elle. Le bon fonctionnement de vos reins aussi (du moins en partie). Alors si vous voulez éviter tout risque de carence, mangez des sardines, fraîches ou en conserve.

INFOS EN +

• La vitamine D que vous produisez dans votre corps ou qui se trouve dans votre alimentation s'appelle « calciférol ». Mais elle existe aussi sous une forme synthétique baptisée « ergocalciférol » et souvent utilisée comme complément.

• Des aliments comme le lait, le foie, les œufs, la margarine ou certaines céréales peuvent apporter de la vitamine D en quantité appréciable.

• Si les personnes végétariennes ont intérêt à consommer de la vitamine D pendant l'hiver, les personnes âgées ont tendance, elles, à éprouver de réelles difficultés à l'assimiler et à la stocker. Des gélules peuvent leur être utiles. Mais en petite quantité ou sur prescription médicale, car, en cas d'abus caractérisé, l'« overdose » risquerait de provoquer une réaction toxique.

• Chez certains sujets, une thérapie contre la migraine, le rhume, la conjonctivite ou le psoriasis peut passer en partie par des doses de vitamine D.

Dans l'un et l'autre cas, les prix restent abordables... Mais soyez vigilants pour vos achats. Choisissez de préférence les produits de marques qui ont démontré leur art de la « mise en boîte ». Attachez de l'importance à la qualité des ingrédients et des traitements. Qu'il s'agisse de la matière première, la sardine, des huiles utilisées et des méthodes pratiquées entre la pêche et le conditionnement.

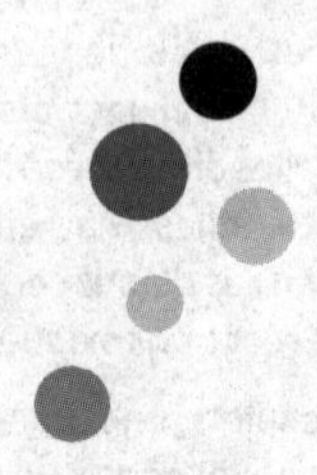

Vitamine E (alpha-tocophérol) : l'antioxydante

Qui s'intéresse à la vitamine E ? Mis à part les médecins et tous ceux qui s'intéressent de près aux questions nutritionnelles, sans doute pas grand monde... Et c'est fort dommage. Car l'alpha-tocophérol - c'est, en quelque sorte son nom de guerre - mériterait d'être mieux connu. Notamment pour ses nombreuses actions thérapeutiques.

Qui peut réduire les risques de crise cardiaque chez une personne atteinte de troubles cardio-vasculaires ? Qui est capable de prendre à bras le corps les zonas ou les problèmes de fertilité ? Qui sait ralentir l'évolution de la maladie de Parkinson ? Mais la vitamine E bien sûr ! Vue de l'esprit ? Ou optimisme béat ? Nenni, nenni ! L'alpha-tocophérol a des actions thérapeutiques à la fois étendues et reconnues. Cet antioxydant qui évite les fausses couches tout en protégeant les poumons de la pollution a fait ses preuves. Fonctionnant comme un diurétique naturel, il est... difficile à retenir et vous n'échapperez pas à la règle. Soluble dans la graisse, il s'élimine, pour une bonne part (plus de deux tiers de la quantité absorbée) dans les selles.

Symptômes de carence

Il vous suffit de quelques petites difficultés neuromusculaires pour que vous puissiez à bon droit vous interroger sur votre taux de vitamine E. A moins que ce soit l'apparition de taches de vieillesse ou la persistance de problèmes de fertilité qui attire votre attention et vous amène à vous poser des questions. Souvent, l'anémie, sous une forme ou sous une autre, est aussi symptomatique d'une déficience plus ou moins grave.

De surcroît, il résiste fort mal aux processus de transformation des aliments.
Comme il se trouve dans la margarine, les céréales complètes, les haricots secs, les légumes verts, les œufs, les fruits à écale (comme les amandes et les cacahuètes), ou encore dans le poisson et la viande, vous n'avez en principe aucune difficulté réelle à le consommer en quantité correcte. Mais si vous êtes atteint d'une maladie coronarienne et que vous souhaitez vraiment améliorer le niveau de votre prise quotidienne, sachez que les germes de blé, les graines de soja, le blé complet et les huiles végétales d'une manière générale sont d'excellents « réservoirs » de vitamine E (il existe aussi, bien entendu, des gélules (huile) ou des comprimés de vitamine E). Des informations qui valent aussi si vous êtes une femme enceinte ou ménopausée puisqu'en ce cas, vous vous retrouvez directement concernée par une consommation accrue et efficace de ce type de vitamine.

INFOS EN +

- Non toxique, la vitamine E ne provoque aucune réaction allergique. Même à haute dose. Toutefois, il arrive que certaines personnes ressentent une hypertension très passagère après avoir pris de nombreux comprimés.
- La consommation de tabac et l'utilisation de contraceptifs oraux ont tendance à accroître fortement les besoins en vitamine E.
- Le sulfate de fer, c'est-à-dire le fer non organique, présente la particularité de détruire complètement la vitamine E. Veillez donc à espacer la consommation de l'un et de l'autre d'au moins huit heures.

Vitamine K (phylloquinone ou ménaquinone ménadione) : pour la coagulation

Ce n'est pas parce qu'elle n'a, grosso modo, qu'une fonction essentielle qu'elle ne mérite pas un minimum d'attention. Et ce n'est pas non plus parce qu'elle se trouve dans des produits aussi courants que les yaourts « nature », les tomates ou les jaunes d'œufs qu'elle doit passer complètement inaperçue. La vitamine K n'a, il est vrai, rien de mystérieux ni de kafkaïen. Mais elle pourrait bien exciter votre curiosité si vous saignez régulièrement du nez...

Vous souffrez régulièrement de petites hémorragies ? Et vos saignements sont autant de désagréments ? Ne perdez plus une seconde ! Tablez sur la vitamine K dont la fonction fondamentale consiste à favoriser la coagulation du sang et donc à vous prémunir contre les écoulements intempestifs et quelque peu handicapants... Vous la trouvez en grosse quantité dans ce fruit délicieux qu'est la tomate et dans les yaourts « nature » qui ont le grand mérite de « promouvoir » les bactéries saines à l'intérieur de vos intestins. Mais si ces aliments ne vous plaisent pas, vous pouvez leur préférer les jaunes d'œufs, les choux de

Symptômes de carence

Hémorragies et saignements, et en particulier des règles d'une abondance anormale, sont bien entendu les « signes » les plus évidents, avec les troubles de la coagulation, d'une consommation insuffisante de vitamine K. Mais les diverses maladies du côlon peuvent aussi figurer parmi les symptômes caractéristiques. Surtout si elles s'accompagnent de diarrhées chroniques.

Bruxelles, les céréales, le thé vert ou encore l'huile de foie de poisson. Vous avez donc l'embarras du choix, ce qui explique qu'en pratique, la carence en vitamine K, soluble dans les graisses et stockée à la fois dans les os et le foie, soit rarement observée. Simplement, il serait dangereux de sous-estimer la capacité de l'être humain à se débarrasser de cette substance « magique » : chaque jour, nous éliminons plus des deux tiers de ce que nous absorbons... Comme vous n'échappez pas, hélas, à la règle, vous auriez tort de négliger votre approvisionnement et de le restreindre.

INFOS EN +

• Le yaourt « nature » est l'un des meilleurs alliés contre les saignements de nez.

• Si vous prenez des antibiotiques durant une longue période, vous risquez d'empêcher la synthèse bactériologique de la vitamine K.

• Les maladies hémorragiques des nouveaux nés font souvent l'objet d'une thérapie anti-coagulante où la vitamine K joue un rôle prépondérant.

• La phylloquinone est une plante source de vitamine K. La médianone apparaît comme son dérivatif synthétique dont l'utilisation est d'ordre médico-thérapeutique. Les ménaquinones désignent les composés qui sont associés à l'activité de la vitamine K.

Choline : pour la mémoire

Parce qu'elle est fort utile pour produire et préserver en bon état la structure des cellules, la choline devrait toujours demeurer nichée dans un coin de votre mémoire. D'autant qu'elle a acquis une certaine notoriété dans le cadre du traitement de la redoutable maladie d'Alzheimer. Une renommée médiatique dont les conséquences dans l'esprit d'un large public paraissent excessives et qui a aussi le tort d'occulter son action sur le foie...

Pour un peu, elle serait devenue Madame Alzheimer... Cette maladie d'Alzheimer fait si peur que toute substance qui semble pouvoir la prévenir et la soigner apparaît comme miraculeuse. C'est donc souvent la ruée sur la choline puisqu'il est reconnu scientifiquement que ce précurseur de l'acéthylcholine aide beaucoup à renforcer la mémoire, ou plus précisément qu'elle a une action directe et efficace sur les nerfs qui stimulent la mémoire. Toute personne qui ressent des troubles de la mémoire ne peut dans ces conditions que partir à la recherche de cette précieuse substance. Fort heureusement, des aliments aussi variés que les jaunes d'œufs, la plupart des

Symptômes de carence

Si votre mémoire vous donne des signes de déficience répétés, n'hésitez pas à utiliser plusieurs sources de choline. A titre préventif ou curatif. Suivant votre âge, certains problèmes gastriques et le durcissement de vos artères peuvent être symptomatiques d'une insuffisance ou d'un déséquilibre d'ordre alimentaire. Chez les enfants en bas âge, les retards de croissance sont également caractéristiques d'une carence plus ou moins accentuée.

légumes verts ou secs, ou la levure en contiennent une quantité appréciable. De même, les noix, les noisettes et les amandes sont particulièrement recommandées. Au même titre que la lécithine.

Cependant, il serait naïf de s'imaginer que la choline a des vertus miraculeuses et qu'il suffit de jouer les écureuils boulimiques en grignotant des noisettes du matin jusqu'au soir pour que la maladie d'Alzheimer ne soit plus qu'un mauvais souvenir... La réalité est autre. Cette vitamine peut avoir le grand mérite d'atténuer et non de dissiper certains désordres majeurs. En outre, il semble qu'elle n'intervienne que dans certains cas de maladie d'Alzheimer. Ses propriétés en matière de prévention et même de traitement sont indéniables, mais elles ont un caractère relatif hautement prononcé.

Enfin, la « focalisation » dont elles font l'objet dans un large public ne doit surtout pas faire oublier qu'en liaison avec l'inositol, la choline métabolise les graisses et le cholestérol. En d'autres termes, elle a la faculté d'aider le foie à éliminer les graisses, du moins une partie d'entre elles. Une grande vertu qui ne lui a jamais valu de sortir de l'ombre et qui justifierait un minimum de reconnaissance publique. Au titre, en quelque sorte, du devoir de mémoire.

INFOS EN +

Il est souhaitable d'absorber la choline en association avec d'autres vitamines du groupe B ou avec du calcium.

Minéraux à la rescousse !

Ils sont une vingtaine. Mais ils ne sont pas tous logés à la même enseigne... Si pas moins de vingt éléments minéraux ont une fonction essentielle dans le fonctionnement des cellules et/ou dans le parfait développement des processus métaboliques, certains sont présents dans notre organisme en importante quantité, tandis que d'autres sont à peine repérables... Quelques traces seulement trahissent leur passage plus que leur existence. Or, les uns et les autres sont presque toujours indispensables. Ce qui rend les carences, hélas fréquentes, assez redoutables...

Bore : l'anti-arthrite

Bore ? Vous avez dit bore ? Mais oui bien sûr ! Depuis que des chercheurs ont mis en évidence que les habitants des contrées où le bore se niche généreusement dans le sol et la végétation ignorent superbement les problèmes d'arthrite, le monde entier se sent obligé... d'avoir toujours connu ce merveilleux oligo-élément. De toute façon, soyez sans crainte : vous n'êtes probablement pas le dernier des grands consommateurs de bore qui s'ignorent !

« Ma pomme, c'est toua, ah, ah, ah ! » Refrain connu, qui n'a pas fait le tour du monde pour des clous, comme aurait dit le grand Maurice. Chevallier *of course*. L'homme qui fit tant pour la promotion du canotier... Mais ce que l'on sait moins, c'est que la pomme est, avec la poire, une excellente source de bore. Comme les raisins secs et les pruneaux sont aussi de bons gisements, vous n'avez donc que l'embarras du choix pour concilier plaisir du palais et apport nutritionnel efficace. Le bore a en effet la capacité pour vos os de maintenir le niveau en minéraux et en hormones qui leur convient. Il aurait aussi pour propriété - ce n'est pas une certitude absolue - de réduire les pertes en calcium chez les femmes ménopausées. Enfin, il s'est taillé une solide renommée dans les gymnases et autres salles de « body-building » où il s'absorbe volontiers sous forme de complément. De nombreux « Monsieur muscle » en devenir assurent, avec beaucoup de conviction et biceps à l'appui, qu'il accélère le développement musculaire chez l'homme et augmente le taux de testostérone. Il suffit de voir pour croire... Mais il convient de faire preuve d'un minimum de précaution à ce sujet. Qu'elle ait ou non des effets désirables sur une partie de la gent féminine ou masculine, la « gonflette miracle » ne justifie pas une utilisation abusive du bore. En aucune façon. Car cet oligo-élément, inoffensif à faibles doses, peut devenir toxique si sa consommation excède les 100 mg par jour. D'ordinaire, des vomissements, des diarrhées ou des rougeurs préviennent que les limites du raisonnable ont été largement dépassées. Mais il peut arriver que l'abus soit extrêmement dangereux, au point d'être mortel si la dose a avoisiné les 20 g chez un adulte ou a été quatre fois moindre chez un enfant... Si vous avez recours à un complément, contentez-vous de quelques milligrammes quotidiens et, dans la mesure du possible, privilégiez les préparations qui intègrent le bore dans une combinaison de vitamines et de minéraux. Vous n'aurez peut-être pas des résultats aussi visibles que vos compagnons d'entraînement, mais vous les devrez davantage à de sains efforts musculaires et vous pourrez vous endormir en toute quiétude et, pourquoi pas, bore à bore...

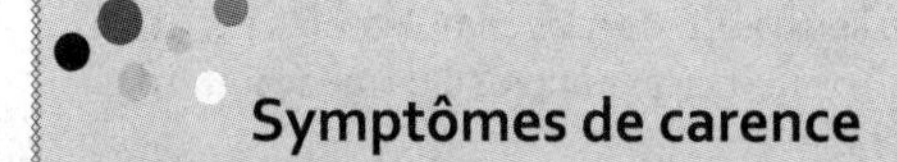

Symptômes de carence

Il n'existe aucune manifestation de carence qui soit scientifiquement établie. Mais si vous êtes stressé, si vous souffrez d'arthrite, d'ostéoporose, ou si vous êtes une femme en période de ménopause, vous avez sans doute un besoin accru de bore.

Calcium : le grand régulateur

Bien connue est la liste des vertus du calcium dont les adultes rebattent les oreilles - et les dents - des enfants dès le plus jeune âge... Mais au-delà de l'aspect dentaire et osseux très lié à la période de croissance, ce minéral poursuit tout au long de la vie humaine ses missions essentielles de régulation dans la transmission des influx nerveux, la contraction musculaire et la coagulation du sang. Il mérite une longue considération.

C'est grâce à lui que votre cœur bat ! C'est d'emblée mesurer son importance. Le calcium est un minéral de première nécessité. Pour structurer les cellules comme pour garantir

INFOS EN +

- Calcium et magnésium ont une action combinée concernant le bon fonctionnement du cœur et la circulation sanguine. Si votre organisme manque de magnésium, vous devrez sans doute nettement renforcer votre dose de calcium par rapport à votre approvisionnement en magnésium. Un problème d'équilibrage sur lequel il vaut mieux être vigilant. Au lieu d'absorber des compléments à tout-va, prenez d'abord un avis « personnalisé » auprès d'un médecin ou d'un spécialiste de la nutrition.

- Si votre régime alimentaire est riche en graisses, vous n'avez en principe aucune difficulté pour fixer le calcium. Inversement, s'il est pauvre, vous serez peut-être amené à recourir à un complément en calcium, du type citrate de calcium, réputé pour sa facilité d'assimilation par l'organisme.

- Chez certaines personnes, le calcium peut avoir une action calmante et sédative.

l'action des hormones. Vos os et vos dents en ont un besoin vital. A tout âge. Mais surtout durant cette période de croissance qui va de la naissance à la fin de l'adolescence. Sans lui, impossible de métaboliser le fer, de libérer les neurotransmetteurs du cerveau ou d'assimiler correctement la vitamine B12. Sans lui encore, vous vous exposez à des problèmes gingivaux, à un manque de tonus musculaire, à des crampes. Alors, évitez de vous rendre vulnérable et veillez à ce que votre alimentation comporte très régulièrement du lait ou des laitages, des agrumes, des légumes verts, des pois secs, des fruits à écale (noix, noisettes, amandes...) ou certaines racines comestibles. En conserve, le saumon et les sardines sont également intéressants pour leur richesse en calcium. L'eau peut enfin apporter une contribution plus ou moins modeste, voire infime, mais toujours bonne à prendre !

Si vous êtes une femme, souvenez-vous que vous êtes plus exposée qu'un homme à une carence éventuelle. Vous êtes, en quelque sorte, naturellement vulnérable. Ce qui ne signifie pas - en aucune façon - que vous soyez du « sexe faible », mais ce qui implique que vous interveniez de manière appropriée sur le contenu de votre régime alimentaire. Fromages et laitages doivent nécessairement trouver leur place dans vos repas. Aux côtés du soja (une excellente source de calcium) et, pourquoi pas, à l'occasion, du brocoli si votre palais l'apprécie.

En principe, l'« overdose » de calcium suppose que vous dépassiez les 2 mg par jour... Un niveau élevé, rarement atteint dans la vie courante, d'autant que notre organisme élimine ce minéral en permanence. De toute façon, l'abus est sans danger. Au pire, il peut provoquer un petit calcul rénal, mais il s'agit là d'une hypothèse quasi marginale... Dans notre environnement dit moderne, volontiers agressif et stressant, c'est en fait la présence de calcium en quantité suffisante dans votre organisme qui ne doit pas être négligée. Parmi ses nombreuses incidences, le stress a pour effet, avant de vous plonger dans la détresse, de faire abondamment disparaître votre précieux minéral dans vos urines... Alors, quel que soit votre sexe, n'hésitez pas : faites de vieux os grâce au calcium !

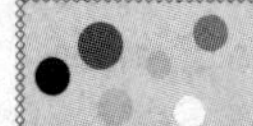

Symptômes de carence

Les personnes âgées - particulièrement les femmes - sont très sujettes au manque de calcium. Car l'organisme humain a tendance en vieillissant à puiser ses rations de calcium dans les os qui, peu à peu, deviennent - c'est bien connu - fragiles... D'une manière générale, les crampes musculaires sont l'un des « signes » les plus manifestes d'une insuffisance. Chez les enfants, une carence grave est de nature à enrayer le processus de croissance, au point parfois de provoquer des affections aussi sérieuses que le rachitisme ou la tétanie.

Chrome : l'anti-diabète

Après avoir longtemps brillé par son extrême discrétion, due en grande partie à sa mauvaise réputation, le chrome a vu ces dernières années son rôle singulièrement mis en lumière. Depuis que l'on ne jure plus que par lui dans le traitement du diabète et de l'obésité, il tient la vedette.

Il ne faut jamais désespérer ! Le destin du chrome en fournit une preuve éclatante. Autrefois, c'est-à-dire jusqu'à la fin des années 1930, cet oligo-élément apparaissait comme un pestiféré. Il avait à la fois mauvaise presse et triste réputation. Tout être bien né se devait de surveiller son degré de fréquentation. Sauf sur les calandres, les pare-chocs ou les phares des voitures où il se montrait sous son aspect le plus brillant et où il était le bienvenu, il se devait de rester un signe très extérieur de santé financière... Bref, on le jugeait mal. Depuis quelques décennies, changement de décor. Le chrome est rangé des voitures, mais fait une entrée en force dans notre vie intérieure. On ne parle plus que de lui. Depuis que son action sur

INFOS EN +

- Le stress, la grossesse, les infections et l'effort d'une manière générale justifient un accroissement de l'approvisionnement en chrome.

- Volontiers considéré comme un « coupe-faim » efficace, le chrome s'inscrit souvent dans les régimes amaigrissants.

- Une carence en chrome augmenterait le risque de cataracte.

- Une analyse spectrophotométrique d'un de vos cheveux peut indiquer avec une bonne précision le degré de concentration du chrome dans votre organisme.

la régulation du taux de sucre dans le sang est reconnue, il a pour immense vertu de contribuer à soigner le diabète. La gloire ! Si bien qu'aujourd'hui, une carence alimentaire en chrome est associée à l'apparition du diabète de la maturité et des maladies cardio-vasculaires. Nul doute de surcroît que cet oligo-élément a un bel avenir, compte tenu du mode de vie en vigueur dans les pays occidentaux où la plupart des denrées font l'objet d'un raffinage exacerbé et où le sucre occupe une place si prépondérante qu'il a donné naissance, dans la langue la plus courante, à un verbe à la fois transitif et réfléchi...
Pour obtenir le chrome dont vous avez besoin pour métaboliser le sucre que vous absorbez, il vous suffit de manger... épicé. Ce n'est qu'en partie vrai bien sûr, mais il n'est pas contestable que certaines épices - le thym, le poivre noir - fassent partie des aliments les plus riches en chrome que vous puissiez trouver. Loin devant les céréales complètes, la levure de bière, les champignons, le foie, les rognons et les jaunes d'oeuf qui en recèlent pourtant une fort appréciable quantité.

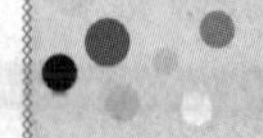

Symptômes de carence

Si vous souffrez d'une forme ou d'une autre de diabète, si vous subissez les effets d'une hypoglycémie ou d'une artériosclérose carabinée, il y a, hélas, fort à parier que la présence de chrome dans votre organisme est très insuffisante. D'une manière générale, la fatigue et votre irritabilité peuvent être des « signes » avant-coureurs d'un problème plus ou moins latent. Toute situation de stress « prédispose » à une carence. A partir de la quarantaine, surcharge pondérale ou non, une surveillance particulière paraît de bon aloi.

Bien entendu, vous pouvez également absorber cet oligo-élément sous forme de complément. Sans aucun risque, si ce n'est la perspective statistiquement improbable de rêves plus ou moins agités. Quelle que soit la quantité ingérée, notre organisme n'assimile en effet le chrome qu'en très faible proportion. Si les gélules et autres capsules peuvent être bienvenues pour compléter votre alimentation et faire face à vos besoins, ayez le réflexe de consulter, avant de les acheter et de les ingurgiter, un médecin ou un professionnel de la nutrition. De grâce, ne vous chromez pas bêtement l'existence !

Cobalt : l'anti-anémie

Qui dit cobalt dit vitamine B12... L'un est un composant de l'autre et les deux sont intimement liés pour produire des globules rouges. En théorie, une carence peut être synonyme d'anémie. Mais en pratique, cet oligo-élément ne risque de vous faire franchement défaut que si vous êtes végétarien ou végétalien.

Il se trouve essentiellement dans la viande, le foie, les huîtres et le lait... D'emblée, vous pouvez donc être rassuré : le cobalt n'a rien de la denrée rare et vraisemblablement vous en absorbez de-ci de-là, sans forcément vous en rendre compte... En théorie, il n'existe pas de symptômes directement liés à l'insuffisance d'approvisionnement. Et, en pratique, il est admis que les seules personnes exposées à un petit risque de carence pouvant entraîner une anémie sont les végétariens ou les végétaliens. Mais là encore, y compris si vous observez un régime strict, vous n'avez pas a priori d'inquiétude particulière à nourrir. Sous réserve que vous mangiez régulièrement des épinards, des courgettes, des choux ou des brocolis et que ces légumes aient poussé sur un sol richement « cobalt »...

Même s'il n'est qu'un composant de la vitamine B12, le cobalt ne peut être tenu pour quantité négligeable... Il a pour double vertu essentielle de contribuer à la production des globules rouges et à la régulation du système nerveux. Mais a contrario, une attitude qui consisterait à lui donner trop d'importance pourrait être dangereuse. Cet oligo-élément n'est pas anodin. Absorbé de manière abusive, il risquerait d'être à l'origine de nausées, de problèmes rénaux ou cardiaques. C'est pourquoi sa présence n'est en règle générale que marginale au sein des compléments qui contiennent un ensemble de minéraux et de vitamines.

Cuivre : la peau et les os...

Comme le fer et le zinc, le cuivre intervient dans des centaines de métabolismes. Outre son intervention dans la fabrication des hémoglobines, cet antioxydant joue un rôle de premier plan pour la production de collagène qui assure la constitution et le bon état des os, des cartilages et de la peau. En principe, il provient des conduites d'eau, des ustensiles de cuisine... et, hélas, de la pollution. Mais vous pouvez aussi le trouver dans de nombreux aliments...

Les fumeurs en tirent souvent une bouffée d'orgueil. Ou plutôt un triste alibi. De fait, il n'est pas contestable que la fumée de cigarette est plutôt riche... en cuivre. Et il en va de même, sans qu'il y ait davantage de quoi s'en réjouir, avec les gaz d'échappement automobiles, la pilule contraceptive, les conduites d'eau et certains ustensiles de cuisine. A croire que la fin peut justifier les moyens... et que notre approvisionnement en cuivre vaut bien quelques accommodements avec la préservation de notre environnement.

INFOS EN +

- Le cuivre n'est que très faiblement toxique. A haute dose, il est cependant de nature à entraîner des vomissements, des douleurs musculaires ou des diarrhées. Ses éventuels effets toxiques doivent être connus et maîtrisés avant tout usage thérapeutique.

- Le zinc et le cuivre ne doivent jamais être absorbés en même temps. A moins bien sûr qu'ils soient combinés dans un complément vitaminé à l'équilibre approprié.

- Si vous portez en permanence un bracelet en cuivre, votre organisme absorbera jour après jour un peu de cuivre...

Nécessaire à la respiration, le cuivre se présente, il est vrai, comme un oligo-élément qui mérite une réelle considération de votre part. Outre qu'il régule votre cholestérol et contribue fortement à l'assimilation de la vitamine C, il se révèle nécessaire à la production de vos hormones surrénales et à l'entretien de vos vaisseaux sanguins et des pigments protecteurs de votre peau.

Comme vous devriez en absorber jusqu'à 4 ou 5 mg par jour, que vous ne buvez pas forcément de l'eau du robinet et que vous n'avez pas toujours une envie irrépressible de placer votre nez sous votre pot d'échappement, le cuivre dont vous avez besoin a le bon goût d'être contenu dans une belle variété d'aliments. A vous de déguster crustacés, petits pois, légumes secs ou légumes verts feuillus, champignons, raisins, avocats, céréales complètes, pain (de qualité) ou foie... En principe, si vous mangez un peu de tout, votre approvisionnement en cuivre ne peut être que très satisfaisant !

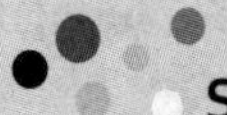

Symptômes de carence

Des problèmes capillaires ou des œdèmes peuvent être des signes manifestes de carence. Au même titre qu'une hémorragie ou une pigmentation anormale de la peau. D'une manière générale, l'anémie incite toujours à s'interroger sur le degré de minéralisation en cuivre.

Fer : pour les femmes d'abord

Sur le fer, tout ou presque semble avoir été dit ou écrit. Depuis plusieurs milliers d'années, la correspondance entre ce minéral essentiel et la bonne santé de l'organisme est établie. Manquer de fer revient à risquer l'anémie. Et pourtant, des centaines de millions de personnes dans le monde continuent aujourd'hui encore de souffrir d'une carence plus ou moins grave. En particulier les femmes qui ont tendance à perdre naturellement - dure injustice ! - deux fois plus de fer que les hommes.

Les femmes ont tout lieu de dénoncer le scandale. Mais la carence en fer est fort inégalement répartie entre les sexes. C'est une loi naturelle... dont il semble plus que difficile d'inverser le processus. Même lorsqu'elle ne vit pas une période de grossesse, la femme est sujette à l'insuffisance de fer dans l'organisme. Si par malheur, elle a

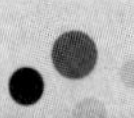

Symptômes de carence

Tout ce qui, de près ou de loin, relève de l'anémie, soulève forcément une interrogation au sujet de la minéralisation en fer. La sensation de fatigue ou l'essoufflement sont souvent des manifestations bien tangibles d'une carence. Avec les désordres auditifs ou diverses formes de surdité. En pratique, il apparaît que les états chroniques de frilosité, d'asthénie et d'hypersensibilité sont souvent très révélateurs. Les personnes de plus de 50 ans ont intérêt à se montrer attentives. Si l'insuffisance en fer est constatée suffisamment tôt, elles auront de bonnes chances de pouvoir améliorer la situation et retrouver un bon état de santé. Sous réserve qu'elles acceptent un minimum de discipline tant dans leur comportement alimentaire que dans leur mode de vie en général...

tendance à boire un café durant son repas ou une heure après sa collation, son cas s'aggrave sensiblement puisque cette petite « faiblesse » la prive des quatre cinquièmes de l'apport en fer que représentait sa consommation alimentaire ! Un acte d'autant plus préjudiciable quand on sait que le sang assimile moins de 10 % du fer que nous ingérons par la voie orale ! Faussement anodines, les conséquences sont en réalité quelque peu disproportionnées à terme : des troubles de l'audition à l'anémie, en passant par la sensation de fatigue et la pâleur du teint... Quand une femme ressent des douleurs menstruelles, a le syndrome des jambes lourdes ou accuse une perte auditive, il y a fort à parier que son taux de minéralisation en fer est très insuffisant. Le diagnostic est souvent sans appel.

INFOS EN +

- La caféine est «l'ennemie n°1» du fer.

*Tout excédent en fer est stocké dans votre foie, votre moelle épinière et votre rate. Il arrive qu'il entraîne une constipation.

- Les compléments à base de fer doivent être soigneusement mis hors de portée des enfants, toujours exposés à une forme plus ou moins légère d'« empoisonnement ».

- Comme le cuivre, le manganèse, le cobalt et la vitamine C sont nécessaires au bon métabolisme du fer, il est par principe judicieux de « combiner » ces éléments dans votre régime alimentaire.

- En cas de règles très abondantes, l'absorption régulière d'un complément à base de fer peut se révéler utile.

En pratique pourtant, il est relativement simple de pallier la carence en fer. Il suffit de puiser de temps à autre dans ces riches gisements que représentent les fruits de mer, la viande rouge et le foie. A moins que vous éprouviez des réticences viscérales ou que votre environnement culturel ou social vous empêche d'y avoir recours, la viande de cheval peut être très intéressante. De surcroît, la liste des aliments qui contiennent du fer en quantité plus que respectable est fort longue. Aux côtés des céréales et des légumes secs, figurent en bonne place la poudre de cacao, le chocolat noir (de qualité, c'est-à-dire fabriqué avec de bons ingrédients et sans adjonction de vanilline, substitut plus que contestable de la vanille), les noix, les noisettes et autres amandes... En consommant ces denrées, vous avez en général la double satisfaction de ravir votre palais et d'alimenter vos cellules en oxygène. Un plaisir double qui ne se refuse pas !

Fluor : pour les dents

Il n'a pas son pareil pour durcir l'émail des dents et il prévient si bien la formation des caries qu'il devrait avoir mis depuis belle lurette tous les dentistes au chômage ! Pourtant, comme chacun sait, il n'en est rien. Si le fluor ne s'impose toujours pas comme l'ennemi n°1 des caries, c'est peut-être en partie parce que son efficacité dépend beaucoup d'une absorption en quantité très appropriée...

La lutte contre les caries passe par le fluor. La publicité le dit. Et elle a raison. Sans la moindre équivoque, cet oligo-élément apparaît comme l'allié n°1 de toute personne désireuse de protéger sa dentition et d'une manière plus générale, de se protéger contre l'ostéoporose. Reconnu depuis longtemps, il présente l'intéressante particularité de se trouver à l'état naturel dans l'eau, et plus précisément dans l'eau du robinet, dont la fluoration est presque toujours suffisante. Dans certains pays, l'adjonction artificielle de fluor dans l'eau du robinet relève d'une pratique courante, mais elle semble plus que contestable, dans la mesure où elle n'est pas dépourvue de risques. Même modeste, elle peut en effet provoquer des effets inverses à ceux recherchés... Absorbé en quantité non adéquate, le fluor sait se montrer nocif et faire craindre le pire quand il va jusqu'à entraîner des taches sur les dents ou des saillies osseuses.

Symptômes de carence

A l'évidence, des dents gâtées sont le signe flagrant d'une carence. A l'évidence aussi, des os fragiles trahissent une insuffisance plus ou moins grave.

Comme un surdosage est au moins aussi préjudiciable qu'un dosage insuffisant, toute absorption, sans avis médical, d'un complément à base de fluor, sous forme de comprimés ou de gouttes, est plus que déconseillée. Si vous tenez vraiment à vous « fluorer» l'organisme dans la plus parfaite sérénité, vous pouvez parfaitement puiser dans ces plaisantes sources naturelles que constituent le poisson, les fruits de mer, le thé noir ou les graines de soja. Au moins, vous ne pourrez plus pester uniquement contre votre énième tube de ce bon à rien de dentifrice au fluor... Comme s'il ne vous avait jamais empêché d'avoir des dents en or ! Franchement, quelle injustice !

Iode : pour la thyroïde

Tout beau et tout bon, l'iode ! Etymologiquement, ce minéral affiche d'emblée la couleur puisque son nom signifie en grec « violet ». Mais s'il n'est pas connu depuis l'Antiquité pour autant, il a un très beau rôle dans la fabrication des hormones thyroïdiennes, fortement impliquées dans le développement et la croissance. Il a de surcroît le mérite de s'absorber sous la forme exquise de l'ananas frais, de certains poissons et autres fruits de mer...

Il aura fallu attendre 1812 pour qu'il soit enfin découvert dans le varech. Mais qu'importe ! L'iode vaut largement d'être connu. Vos cheveux, vos ongles et vos dents l'apprécient trop pour que vous n'en soyez pas d'emblée convaincu. Ce minéral a de nombreuses vertus. Outre qu'il produit les hormones de la glande thyroïde, la grande régulatrice de notre énergie, il empêche l'apparition d'un goitre et permet de lutter contre les effets toxiques des matériaux radioactifs... Ce qui le rend sans doute encore plus sympathique, c'est que son absorption relève presque toujours du plaisir extrême. L'iode, c'est, en quelque sorte, ultra... violet ! En tout cas pour les amateurs de morue fraiche, de soja, de raisins secs et d'ananas frais, qui trouvent en ces aliments exquis le moyen épicurien de justifier la fréquence de l'agréable par la carence de l'utile... L'ananas frais paraît d'autant plus désirable aux yeux de certains - et de certaines - qu'il est réputé pour sa capacité à éliminer les graisses excédentaires ! Vous êtes libre d'apprécier également les produits laitiers ou mieux les algues marines, fort riches en iode. Evitez cependant de trop en manger ! Des doses répétées et excessives ne sont pas anodines : elles peuvent troubler l'activité hormonale et entraîner, par exemple, une apparition ou une aggravation de l'acné. A contrario, si vous mangez régulièrement des choux de Bruxelles, des choux-fleurs et des brocolis, qui ont tendance à perturber l'effet de l'iode dans votre organisme, vous devez veiller à une absorption régulière de ce minéral, le cas échéant, sous forme d'algues ou de potassium.

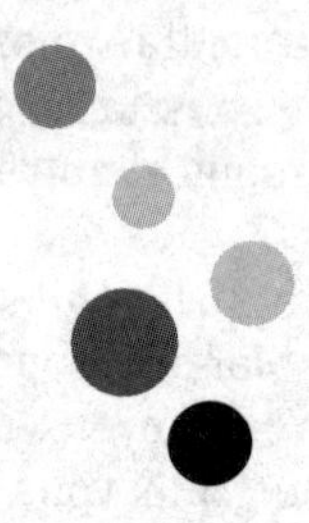

Symptômes de carence

Le surdéveloppement de la thyroïde est, avec la sécheresse de la peau ou la surproduction d'œstrogènes, la principale manifestation d'une insuffisance d'approvisionnement. Le plus souvent, les carences s'observent dans des zones géographiques pauvres en iode. Elles pourraient être rattachées, selon des recherches récentes, aux maladies de Parkinson et d'Alzheimer, au cancer de la thyroïde et à différents types de scléroses.

Magnésium : Monsieur Zen...

A lui seul, le magnésium justifierait la parution d'un ouvrage. Tant il est paradoxal - et choquant - de constater que ce minéral est à la fois indispensable à tous nos processus biochimiques et très souvent présent en trop faible quantité dans notre organisme. Avec, comme conséquence couramment observée, des manifestations aussi fâcheuses que la nervosité ou l'anxiété. Alors qu'il suffirait que vous mettiez un peu de magnésium dans votre existence pour que tout devienne zen...

Impossible d'énumérer toutes les propriétés du magnésium. Mais si elles sont trop nombreuses, elles ont au moins le mérite de pouvoir se synthétiser en une phrase : ce minéral régule l'activité de votre système neurovégétatif. Nécessaire à la contraction et à la relaxation des muscles, y compris votre cœur bien sûr, le magnésium est aussi indispensable à la transmission des impulsions nerveuses. En fait, il contrôle et équilibre à peu près tout.
Résultat : il est utilisé communément pour prévenir ou traiter une multitude de préoccupations, d'affections ou d'états

INFOS EN +

- Associé à la vitamine B6 qui facilite la circulation du minéral dans vos membranes cellulaires, le magnésium est réputé pour l'efficacité de son action anti-fatigue et anti-stress.

- Un excès de magnésium a très rarement des effets indésirables. Seules les personnes dont les reins sont le petit « point faible » ou, a fortiori, un problème quelque peu délicat, doivent s'abstenir d'absorber ce minéral (ou consulter impérativement leur médecin avant toute initiative).

infectieux plus ou moins graves. Des calculs rénaux aux syndromes prémenstruels, en passant par l'asthme, l'hypoglycémie, l'insomnie, les problèmes de prostate ou d'audition. Si vous êtes régulièrement fatigué, vaguement dépressif et franchement anxieux, vous avez sans doute eu l'occasion de faire, d'une manière ou d'une autre, sa connaissance...
Dans les pays occidentaux, les régimes alimentaires ordinaires, c'est-à-dire les repas consommés par la grande masse des habitants, ne suffisent pas à fournir la quantité de magnésium indispensable à l'organisme humain. Un fait scientifiquement établi et bien sûr fort regrettable. Dans ces conditions, c'est à vous qu'il revient de prendre les mesures qui s'imposent. A priori, vous n'êtes pas forcément obligé de recourir à des doses de citrate ou de taurate de magnésium. Vous pouvez peut-être vous contenter de puiser votre précieux minéral dans les fruits à écale (noix, noisettes, amandes...), les graines de soja, les céréales complètes, le pain (de qualité), le riz brun, les haricots rouges ou la levure de bière.

Symptômes de carence

Les personnes âgées, les femmes enceintes, les gros buveurs et les sportifs sont en principe les plus « exposés » à une insuffisance. D'une manière générale, la nervosité, l'anxiété, les spasmes ou les crampes musculaires, les tics du visage, sont autant de « signes » qu'une légère carence suffit parfois à déclencher. Souvenez-vous enfin qu'une importante consommation de café ou de thé fait disparaître une bonne part du magnésium qui se trouve dans votre organisme... De même si vous avez des diarrhées chroniques, si vous utilisez des laxatifs ou si vous prenez une pilule contraceptive, songez à absorber des denrées qui contiennent beaucoup de magnésium.

A moins que vous ne préfériez succomber à la tentation de vous faire franchement plaisir... en cédant à votre penchant gourmand pour le chocolat amer (de qualité, c'est-à-dire bien fabriqué, avec des ingrédients naturels et d'excellentes provenances). Fort de votre alibi santé, n'hésitez plus : à vos tablettes !

Manganèse : le « cerveau »

On devrait le surnommer le « cerveau », tant ses propriétés sont essentielles au fonctionnement normal de notre cervelle. Mais le manganèse conserve encore une grande part de mystère : ses réseaux d'influence demeurent mal connus, la rapidité et la violence de ses capacités de réaction en cas de manquement à notre devoir quotidien d'approvisionnement restent mal mesurées... Le type même du « caïd » qu'il vaut mieux ménager.

Si, dans le milieu des minéraux, un « caïdat » devait exister, le manganèse en ferait assurément partie. Son rôle est en effet reconnu prépondérant. Dans la synthèse d'une hormone thyroïdienne comme dans la formation de l'adénylcyclase au sein du tissu cérébral. Pour activer une foule d'enzymes, il n'a pas son pareil. Et pour faciliter le stockage du neurotransmetteur qu'est l'acétylcholine, il fait merveille. En d'autres termes, il est multifonction. Efficace pour traiter certains troubles nerveux comme pour lutter contre des affections aussi diverses que l'athérosclérose,

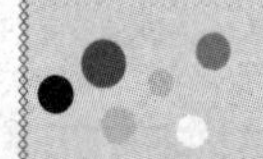

Symptômes de carence

Problèmes de mémoire, fatigue, règles abondantes, dégénérescence des articulations... La diversité des symptômes d'une carence en manganèse est importante au point de paraître considérable. Rien de surprenant donc si ce minéral antioxydant et réputé performant est prescrit dès qu'il est question, entre autres affections, d'épilepsie, de maladie d'Alzheimer, de certains types de schizophrénie, de problèmes cardiaques et d'arthrite.

le diabète, l'hypoglycémie, l'obésité, les problèmes ostéo-articulaires, et d'une manière générale, le vieillissement... N'en jetez plus ! Ou plus exactement, n'en jetez surtout pas, car les besoins de l'homme en manganèse varient entre 10 et 20 mg par jour, et parfois beaucoup plus. Or, les modes d'alimentation actuels ne parviennent, en règle générale, que difficilement à les couvrir. Il est vrai que les meilleures sources de manganèse - clous de girofle et gingembre en tête - sont loin de se prêter à la commodité de l'approvisionnement. Boire du thé, manger des céréales complètes ou des légumes verts feuillus, déguster quelques noix ou de l'ananas frais vous conduira cependant à des résultats satisfaisants. Vous pouvez aussi absorber un complément multivitaminé et minéral. Sans risque sérieux de toxicité puisque votre organisme élimine le manganèse en deux temps trois mouvements... Mais souvenez-vous en ce cas que toute association au calcium ou au fer amoindrit l'efficacité de l'assimilation.

Molybdène : classé X

Du molybdène, on ne sait pas grand-chose. Si ce n'est qu'il a un nom impossible et se révèle toxique au-delà de 100 mg... Mais il aurait des propriétés utiles. Contre l'apparition des caries, mais aussi contre ces maux-fléaux que sont l'anémie, le cancer... et l'impuissance masculine ! Quatre bonnes raisons pour faire plus ample connaissance.

Qu'on se le dise ! On ne badine pas avec le molybdène. Une dose de plus de 100 mg peut valoir des symptômes comparables à ceux de la goutte. Pas question d'en prendre, même en petite quantité, jour après jour, imperturbablement... Mais il ne peut être ignoré. A en croire plusieurs travaux récents, cet oligo-élément contribuerait à la synthèse des protéines. Remarquable antioxydant, il ferait partie de l'enzyme métabolisant le fer dans notre organisme. Des propriétés qui le rendraient efficace contre les caries, l'anémie, l'impuissance masculine et le cancer. L'ennui, c'est que jusqu'à présent, il reste, en quelque sorte, « mis au conditionnel ». Ce qui ne correspond pas à « mis en examen », mais presque. Cet oligo est un drôle de zigoto. Il fait l'intéressant, et depuis trop peu de temps, pour que les praticiens les plus sérieux lui fassent pleinement confiance. Sa présence de plus en plus fréquente dans des compléments de type multivitaminé et pluriminéral ne constitue pas une assurance. Thérapeutique du moins. Si vous souhaitez vous prémunir contre l'anémie... ou contre l'impuissance sexuelle (la hantise de vos jours comme de vos nuits !), vous pouvez évidemment y avoir recours. En principe, vous ne devriez courir aucun risque. Mais vous seriez a priori mieux inspiré de vous contenter de ces sources d'approvisionnement naturelles que sont les haricots secs (et d'une manière générale, les légumes secs), les germes de blé, les œufs, le sarrasin, les aliments complets... Si vous êtes irritable, hésitez encore moins. L'enjeu en vaut franchement la peine : il paraît que le molybdène rend aimable. Avouez-le, sacrée carotte !

Phosphore : l'envahisseur

Vieux comme le corps, car indispensable à la structure osseuse, le phosphore relève pourtant d'une problématique tout à fait nouvelle. Il est si présent dans le régime alimentaire de nombreux Occidentaux qu'il finit par rompre l'équilibre avec le calcium et en deviendrait presque indésirable... A surveiller de près en tout cas !

Avec le régime « fast-food », on phosphore à mort ! La formule est facile, mais elle a, hélas, le mérite de synthétiser ce qui représente aujourd'hui un véritable « phénomène de société ». Comme les sodas, la plupart des denrées de type « fast-food » et les nombreux additifs alimentaires utilisés dans l'industrie sont riches en phosphore, leur consommation massive tend à provoquer un problème nutritionnel majeur. Pour que des minéraux comme le phosphore et le calcium puissent jouer parfaitement leur rôle, il est en effet établi, sans contestation possible, qu'ils doivent être présents dans notre organisme de manière équilibrée. Or, l'apport excessif de phosphore dans le régime alimentaire de nombreux jeunes et moins jeunes Occidentaux ne peut que provoquer, par ricochet, une insuffisance fâcheuse en calcium et divers désagréments plus ou moins graves. A en croire des sources concordantes, un tel déséquilibre conduirait, à terme, à l'ostéoporose. En outre, il serait de nature à gêner l'assimilation du zinc, du magnésium et du fer. A jouer les envahisseurs, le phosphore apparaîtrait, en quelque sorte, comme un véritable pollueur ! Certes, il convient de faire preuve d'un minimum de prudence et de modération à son sujet. Les propriétés de ce minéral sont indéniables. Si ses fonctions ne paraissent pas essentielles pour notre système nerveux, il mérite sa réputation d'accroître l'endurance et d'intervenir avec efficacité dans la structuration des os, des dents et des membranes cellulaires. Mais l'énumération de ses vertus bien connues ne saurait occulter les gros risques que font courir les phosphates ajoutés sans retenue dans l'alimentation industrialisée.

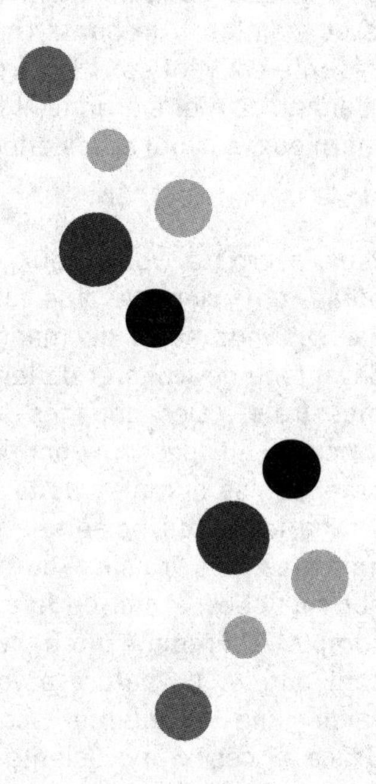

Potassium : mangez des bananes !

Il n'a rien d'une formule chimique qui, mélangée à votre nourriture quotidienne, viendrait nuire au bien-être de votre organisme. Le potassium est en réalité un minéral important, qui fonctionne en association avec le sodium et le chlore pour transporter le gaz carbonique, contrôler l'hydratation de votre corps et maintenir un bon rythme cardiaque... Comme il se présente souvent sous la forme naturelle et agréable d'une banane ou d'une orange, il fait rarement défaut. Et c'est tant mieux, surtout si vos efforts musculaires sont intenses...

Pour accroître votre taux de potassium, rien de plus simple : il vous suffit de manger davantage de fruits et de légumes frais ! Des bananes aux avocats, en passant par les oranges, les pommes de terre, les haricots, les noisettes, les amandes, les raisins ou les abricots secs, le lait ou le pain complet. Un régime plutôt plaisant qui est de nature à vous valoir une excellente santé. Grâce à ces « ingrédients », vous avez les meilleures chances de réguler votre tension artérielle et votre métabolisme glycémique, d'améliorer vos

INFOS EN +

- Le potassium jouerait un rôle de prévention et de guérison de certains cancers.
- Si vous prenez des diurétiques ou si vous vivez sous un climat plutôt chaud, vous avez à coup sûr un besoin accru en potassium. Un complément qui allie ce minéral au zinc et au magnésium peut être bienvenu.

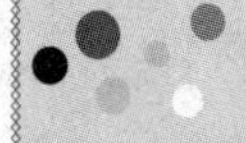

Symptômes de carence

Si vous avez des vertiges ou des faiblesses musculaires, vous avez sans doute intérêt à vous précipiter sur les jus de fruits et de légumes... Une « cure » vous fera en principe le plus grand bien. Le fait de sombrer de temps à autre dans la somnolence ou de ressentir une grande fatigue peut aussi apparaître comme un signe de carence en potassium.

contractions musculaires, de faciliter la génération de vos signaux nerveux... Il y a également fort à parier que vous serez protégé contre le risque d'hypertension puisque le potassium est couramment incorporé dans le traitement thérapeutique de cette affection.
Depuis longtemps, les sportifs de haut niveau se sont mis au « régime bananier ». Ils donnent parfois l'impression de « se gaver » de fruits et de légumes au-delà du raisonnable. Ne croyez pas à une erreur de leur part. Ces athlètes savent que le potassium, ce minéral essentiel de l'organisme, a une forte tendance à disparaître dès que les efforts physiques deviennent intenses et que le corps est en sueur. Un processus qui se vérifie, à l'identique ou presque, en cas de diarrhée ou d'utilisation d'un diurétique.

Certes, vous n'êtes pas nécessairement appelé à pratiquer des compétitions sportives ou à vous lancer des défis physiques quelque peu spectaculaires. Mais une alimentation à base de fruits et de légumes peut être très appropriée. En particulier si vous avez dépassé le seuil de la quarantaine et si vous souffrez d'hypertension. Dans ce cas, n'hésitez vraiment pas à vous mettre, vous aussi, au « régime bananier ». Quelques années de vie supplémentaire passent peut-être par le potassium...

Sélénium : il fait le maximum

C'est peut-être parce qu'il est connu depuis peu qu'il cherche de manière forcenée à rattraper le temps perdu... En tout cas, le sélénium donne l'impression de toujours faire le maximum. Quel que soit le domaine d'intervention. Maladies cardiaques et circulatoires, vieillissement, activité sexuelle masculine, VIH, SIDA... Il se porte volontiers volontaire et en première ligne. Simplement, son pouvoir n'a rien de magique ni d'instantané et son usage doit aller de pair avec un certain sens du dosage.

S'il est un oligo-élément providentiel, il ne peut s'agir que du sélénium, dont les propriétés sont non seulement nombreuses, mais encore le plus souvent très appropriées face aux grands fléaux ou aux grandes préoccupations de notre époque. Qu'on en juge ! Son champ d'intervention concerne aussi bien les maladies cardiaques et circulatoires, la désintoxication contre l'alcool, le tabac ou certaines drogues, les cancers ainsi que le vieillissement qu'il retarde ou l'activité sexuelle masculine qu'il accroît... De fait, les hommes ont davantage besoin de sélénium que les femmes (les testicules et le liquide séminal en contiennent beaucoup).
Ce qui est sûr également, c'est que cet oligo-élément est indispensable au bon fonctionnement de diverses enzymes - cas de la glutathion-peroxydase - qui contribuent à capter les fameux « radicaux libres », peu actifs et peu répandus dans l'univers politique, mais démultipliés par le stress et fort dangereux pour l'organisme humain, en particulier pour les artères et dans le cadre du développement de certains cancers... Il permet de lutter contre la stérilité ou la cataracte. Son pouvoir antioxydant agit

aussi contre ces métaux lourds de notre environnement que sont le mercure, le cadmium et l'arsenic. Indéniablement, une carence peut être à l'origine de nombreux troubles, d'ordre musculaire, pancréatique, hépatique... Sans sélénium, le risque de médiocre élasticité des tissus, de stérilité, de cataracte, augmente sensiblement. Dans ces conditions, nous devons tous vérifier si notre taux de minéralisation est suffisant. En sachant que notre besoin minimal se situe autour de 40 micro grammes par jour, que dans une perspective de prévention globale, une prise quotidienne de 50 à 200 micro grammes peut être recommandée pour toute personne adulte, et que l'oligo-élément peut être associé à la vitamine E pour un effet optimal. Il arrive que l'apparition d'une pathologie et surtout sa persistance justifient une posologie plus importante. Bien que l'intoxication soit rarissime chez l'homme, de fortes doses rendent le sélénium toxique et impliquent impérativement une absorption sous contrôle médical.

En principe, une simple petite supplémentation, permanente, mais modérée, doit suffire à couvrir vos besoins. Elle se révèle plus que nécessaire si vous vous soumettez à des entraînements sportifs. Si vous n'avez pas recours aux capsules, vous trouvez principalement le sélénium dans la viande, le poisson (en particulier le thon), les crustacés, le pain complet, le riz entier, les œufs, le foie, la levure de bière et les produits laitiers. Les céréales complètes comme les légumes en contiennent en principe de remarquables quantités, mais variables (dépendantes du taux de sélénium contenu dans le sol où les plantes ont poussé). En la matière, la Grande-Bretagne fait partie des pays connus pour la pauvreté de son sol. Parmi les céréales, le blé, l'avoine et les mueslis apparaissent comme les meilleures sources. Parmi les légumes ou les fruits, ce sont les poivrons rouges, l'ail et l'oignon qui tiennent le haut du panier... Suivis des tomates, des raisins secs, des brocolis, des pois cassés, des lentilles et du céleri en branche. A vous de procéder à une sélection... naturelle !

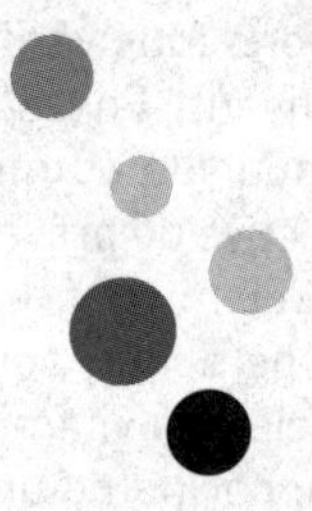

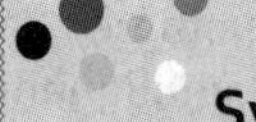

Symptômes de carence

Problèmes de croissance ? Taches de vieillesse ? Troubles cardiaques ? Résistance réduite aux infections ? Fertilité masculine trop limitée pour ne pas être douteuse ? Le sélénium manque sans doute à l'appel de votre organisme. Et souvenez-vous qu'il est souvent mis à contribution dans des thérapies visant aussi bien les pellicules, l'acné et l'arthrite que l'asthme, les troubles rénaux, certains cancers, l'hépatite, l'épilepsie et le Sida...

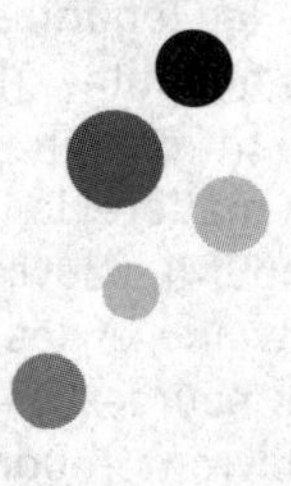

Vanadium : le homard

Irrésistible vanadium ! En France, au début du siècle dernier, certains thérapeutes ne juraient que par lui et le prescrivaient doctement, mais il avait la sulfureuse réputation de provoquer, de-ci de-là, des psychoses maniaco-dépressives. Proscrit pendant plusieurs décennies, le vanadium se refait peu à peu une jolie santé et une belle renommée. Il est vrai qu'il a le double avantage de servir à la prévention des infarctus et de prendre souvent - suprême raffinement - la forme enviable de la chair du homard...

Le procès du vanadium n'a plus de raison d'être. Autrefois, il s'expliquait par la toxicité de cet oligo-élément que les thérapeutes connaissaient mal et avaient fortement tendance à sous-estimer. Résultat : les prescriptions se révélaient parfois dangereuses : les dosages étaient en cause, mais le vanadium en fit les frais en termes de réputation pendant plus d'un demi-siècle... Aujourd'hui, les études les plus rigoureuses s'accordent à reconnaître que le vanadium, dès qu'il est absorbé sans excès, a toute une série de remarquables propriétés qu'il serait dommage d'ignorer. Equilibrant les taux de sodium et de potassium dans l'organisme, il réduit l'hypertension, lutte contre le cholestérol dans les vaisseaux sanguins, limite les risques d'infarctus et de maladies cardiaques... On peut même compter sur lui pour intervenir, à titre préventif, dès qu'il est question de caries dentaires ! Serviable, le vanadium apparaît d'autant plus aimable qu'il se présente communément sous la forme simple du persil, des radis ou de la laitue. Nul doute dans ces conditions que vous en absorbiez régulièrement sans y penser - ce qui est fort bien ! - et que les carences ne sont pas fréquentes. Mais si vous êtes désireux de hisser avec certitude votre taux de minéralisation, sachez que le homard est l'une des meilleures sources en vanadium. A vous laisser trop entraîner par les sortilèges de sa chair exquise, vous ne pourrez que prendre le risque de mourir de plaisir, non sans avoir, avant de rendre le dernier soupir et par référence à un célèbre fait divers qui eut lieu sur !

Zinc : pour les cheveux et la peau

Il se trouve dans beaucoup de denrées, mais en faibles quantités. C'est là toute la difficulté représentée par le zinc, ce minéral qui, au même titre que le fer et le cuivre, intervient dans des centaines de métabolismes et ne doit surtout pas être sous-estimé. Sinon, gare à votre chevelure et à votre peau !

A lire ces lignes, vous allez peut-être vous faire des cheveux... A tort, car le zinc est un minéral qui vous veut du bien. Le plus grand bien. Sous réserve que vous le respectiez, c'est-à-dire que vous le teniez en haute considération. Le zinc ne saurait en effet se réduire à ce qui sert de couverture à certains immeubles. Avec lui, vous n'avez en fait aucune raison de voir la vie en gris ! Outre qu'il préserve efficacement votre chevelure et votre peau, il a le bon goût de garantir la croissance et le développement de vos organes sexuels... Jugez du peu ! S'il est présent et bien présent dans votre organisme, votre système immunitaire bénéficie d'une vraie protection. Tandis que s'il ne peut jouer

INFOS EN +

- Le citrate, le glutamate ou le picolinate sont des formes de zinc bien connues qui peuvent être absorbées avec efficacité dans certaines préparations.

- En principe, le zinc n'est pas toxique. Mais un abus caractérisé peut provoquer des vomissements ou des diarrhées.

- Souvent utilisé dans le traitement thérapeutique des ulcères, des allergies ou de l'alcoolisme, le zinc a la capacité reconnue de contribuer à la guérison des maladies chroniques et à la cicatrisation des blessures. Il est particulièrement précieux pour la femme enceinte dont les besoins sont importants.

son rôle à fond, les affections ou les troubles vont se traduire par la naissance d'un enfant dont le poids sera nettement inférieur à la moyenne, par de l'acné juvénile ou encore, si vous êtes un homme, par la stérilité... Car les activités hormonales et la fertilité masculine dépendent de lui.
Dans l'hypothèse où vous nourririez... quelques inquiétudes pour vous-même ou pour votre conjoint, une solution rassurante est simple. Elle passe par la consommation régulière d'huîtres et de champignons. Si vous avez la bonne idée de les compléter par des oeufs, des céréales (complètes de préférence), du pain complet, des légumes secs et des viandes maigres, vous ne devriez plus rien avoir à redouter. En principe seulement, puisque s'ils présentent l'intéressante particularité de contenir du zinc, ces aliments, aussi beaux et bons soient-ils, n'en comportent qu'à très petite dose... Inutile par conséquent de trop rêver et de vous imaginer que le plateau de fruits de mer avalé lors du réveillon de la Saint-Sylvestre suffit à vous approvisionner pour une année entière ! Votre illusion sera

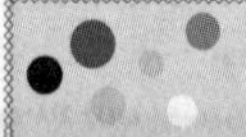

Symptômes de carence

Quand vous constatez une perte abondante et anormale de cheveux, vous avez une excellente raison de vous interroger sur votre degré de minéralisation en zinc. Les taches blanches sur les ongles sont aussi le signe manifeste d'une carence. Tout comme certains autres problèmes d'ordre dermatologique (rougeurs, acné...). D'une manière générale, tout ce qui relève de l'anorexie, de la dépression, du fonctionnement des organes sensoriels (nez, yeux, bouche, oreilles) ou des glandes sexuelles justifient une attention particulière.

totale si ce repas s'est achevé par un ou plusieurs cafés ou thés... Dans ce cas de figure, hélas, très fréquent, il ne vous reste plus qu'à faire grise mine : la caféine ou la théine auront très probablement empêché ou gêné le métabolisme du zinc dans votre organisme.

Les petits « plus » qui font un grand bien

Outre les vitamines et les minéraux, il existe quelques autres compléments alimentaires qui peuvent être bénéfiques sur la santé. Mais la « vogue » de certains d'entre eux ne doit pas trop faire illusion : ce n'est pas parce que vous prendrez quelques dizaines de gouttes de ginkgo biloba que vous serez recruté pour faire du trapèze chez Alexis Gruss et ce n'est pas non plus parce que la publicité vous en dit le plus grand bien que vous pouvez vous croire autorisé à forcer la dose...

Acides aminés

Ils sont au nombre de vingt, mais ont chacun leur importance. Que l'un d'entre eux vienne à manquer et certaines affections peuvent faire leur apparition. Constituants des protéines, ces substances indispensables à notre alimentation ; les acides aminés sont en effet nécessaires, les uns et les autres, à la fabrication de presque tous les éléments de notre organisme. Qu'il s'agisse des os ou de la peau, des cheveux, des anticorps, des tissus organiques ou du sang... Par delà les noms scientifiques donnés à ces acides : cystéine, glutamine, lysine, glycine..., ce qu'il vous importe surtout de savoir, c'est que vous ne pouvez « spontanément » ou « naturellement » produire près de la moitié d'entre eux et que vous devez impérativement vous les procurer grâce à votre alimentation. En ce cas précis, le recours à des compléments relève de la prescription médicale. Avec les acides aminés, ne pratiquez surtout pas le « self service » : des posologies trop élevées, trop prolongées ou désordonnées risqueraient de provoquer des perturbations plus ou moins gênantes, voire graves. En particulier si vos reins ou votre foie sont relativement fragiles. Souvenez-vous toujours que certaines « associations » ont un caractère « explosif » et que votre état physique n'est pas forcément compatible avec des expérimentations plutôt aventureuses. Par principe, prudence de mise si vous souffrez d'une affection bien précise ou si vous êtes une femme enceinte. De même, ce n'est pas parce que tel acide aminé est réputé agir comme anti-dépresseur que vous avez le droit d'en absorber à votre guise si vous vous sentez déprimé. D'autant que son rôle dans votre corps n'est peut-être pas aussi bien compris ni aussi « euphorisant » pour vos capacités cérébrales que vous l'imaginez. Les acides aminés, du moins quelques-uns d'entre eux, conservent leur part d'obscurité... En pratique, une alimentation bien diversifiée doit vous mettre à l'abri d'une carence. Des sources comme les céréales, les flocons de maïs, les fruits à écale (noix, noisettes, amandes...), les produits laitiers, les oeufs, le poisson... et le chocolat (de qualité) revêtent une importance fondamentale.

Acides gras : du poisson

Assurant le fonctionnement normal de notre organisme, certaines graisses viennent contribuer à la croissance des nerfs et des muscles. Ce sont les acides gras essentiels. Mais en règle générale, un complément n'est pas nécessaire : il vous suffit de manger régulièrement des poissons et des fruits de mer pour ne pas souffrir d'une quelconque carence. A moins que vous ne préfériez succomber à la mode et « tester » l'huile d'onagre...

Certains poissons gras comme la sardine, le saumon, le maquereau ou le hareng sont d'excellentes sources d'acides gras. Si vous en consommez régulièrement, vous leur devrez à tout le moins de ne pas avoir une peau sèche. Bien entendu, souvenez-vous toujours que l'absorption d'une huile de poisson provoque une augmentation du taux de sucre dans le sang et que si vous êtes diabétique, elle vous est plus déconseillée et même proscrite.
Disponible sous la forme de gélules ou d'huile corporelle, l'huile d'onagre (extraite des graines d'onagre) fait également partie de la petite « famille » des acides gras. Elle connaît ces temps-ci une « vogue » relativement forte qui s'explique en partie par les multiples vertus dont elle est parée. Censée retarder le vieillissement de la peau, elle jouerait un rôle positif dans la lutte contre l'apparition de la sclérose en plaques, l'inflammation de l'arthrite rhumatismale, le développement de l'eczéma et du psoriasis... Elle serait en outre utile au traitement de la cirrhose et de l'obésité. Enfin, son enviable réputation de venir à bout de certains effets des syndromes prémenstruels et de la ménopause lui vaut chez les femmes une «bouche à oreille » efficace. Cependant, cette huile d'onagre ne saurait, n'en

déplaise à certains « papes » de la « placebo-thérapie », avoir des propriétés miraculeuses. Plus modestement, il lui arrive de se montrer guérisseuse. Sans effets secondaires à redouter, sous réserve de s'en tenir à des doses raisonnables.

Ail : le bel oignon

Mon premier est antiseptique. Mon second, antibiotique. Mon troisième, antifongique. Et mon tout se présente comme un simple oignon, mais aux extraordinaires propriétés thérapeutiques... L'ail, puisque c'est bien sûr de lui qu'il s'agit, fait bien partie de la famille des oignons et peut s'afficher comme l'une des plus vieilles plantes médicinales et gastronomiques qui n'aient jamais été cultivées dans le monde. Ce n'est naturellement pas un hasard...

Vous voulez renforcer votre système immunitaire ? Soulager une infection de votre estomac ou de vos poumons ? Prévenir un infarctus ? Limiter le risque d'artériosclérose ? Mangez de l'ail ! Tout simplement. Ainsi, vous ne pouvez que réduire le taux de graisses dans votre sang. Et, le cas échéant, faire baisser votre fièvre. Des faits scientifiquement reconnus et officiellement approuvés. A priori, l'ail devrait donc être sur toutes les tables et dans chaque assiette... Malheureusement, cette plante n'a rien de sociable. Trop puissante pour ne pas sembler irrésistible au nez de nombreuses personnes, son odeur la rend socialement plus qu'incorrecte : inadmissible. Il est donc préférable de consommer de l'ail de manière aussi privée que possible et en dehors des lieux de travail. En principe, dès lors que la modération est de mise, que la période choisie implique un minimum de rencontres et surtout qu'une parfaite hygiène buccale est respectée grâce à des ablutions appropriées et répétées, l'absorption ne soulève pas de véritable problème. Et c'est tant mieux, compte tenu de l'importance des enjeux. Certaines études n'assurent-elles pas en effet que l'ail est de nature à prévenir certains types de cancers, dont celui de l'estomac ? La plante pourrait avoir un avenir d'autant plus radieux qu'elle se cuisine plutôt bien et que ses qualités gustatives lui valent moult amateurs... Seulement, voilà. La chaleur de la cuisson ne lui revient pas : elle n'est pas compatible avec la préservation des propriétés thérapeutiques. Seul l'ail frais, ou à la rigueur très légèrement cuit, conserve l'intégralité de son potentiel préventif ou curatif. La réussite « marketing » de certaines préparations à base d'ail, aussi sympathiques et agréables au goût soient-elles, ne doit, hélas, pas faire illusion.

Algues : des histoires d'eau...

Depuis des milliers d'années, elles ont fait leurs preuves. Ces plantes aquatiques que sont les algues ne semblent plus rien avoir à démontrer. Leurs propriétés thérapeutiques, pour le traitement des problèmes dermatologiques et des troubles intestinaux, sont universellement reconnues. Tout le monde sait que les Aztèques n'en firent pas vraiment leurs choux gras, mais jouèrent un rôle pionnier en la matière... Le problème aujourd'hui - car problème il semble y avoir de plus en plus -, réside justement dans l'ampleur de ce succès et dans la difficulté à s'approvisionner en algues de qualité, dépourvues de toute contamination.

Le mot « algue » n'est pas synonyme de santé. Ces dernières années, son usage intensif a fini, en quelque sorte, par lui faire « prendre l'eau ».

Utiliser des algues, ce n'est utile et donc conseillé qu'à la condition expresse qu'elles soient saines, c'est-à-dire que leur provenance n'est pas sujette à caution. Des plantes qui ont poussé dans des eaux profondes offrent en principe une meilleure garantie d'« authenticité » et de salubrité.

Coenzyme Q10 : le stimulant du coeur

Q10... C'est bien le code de ce coenzyme que nous devrions tous connaître puisqu'en dépit de sa concentration dans le cœur et le foie, il est présent - et de manière indispensable - dans chaque cellule de notre organisme. Surnommé également vitamine Q pour sa ressemblance avec les vitamines, il a vocation à bien stimuler notre système immunitaire. Au point qu'il trouve actuellement une place de choix dans le traitement de la maladie d'Alzheimer, du diabète et de l'obésité. A titre préventif, et notamment si vous souhaitez améliorer le métabolisme de votre muscle cardiaque, vous prémunir contre l'infarctus ou éviter une défaillance d'origine coronarienne, vous pouvez bien entendu veiller à votre apport quotidien qui passe par bon nombre d'aliments ordinaires. Dont, par priorité, le thon, la sardine, les épinards et les viandes.

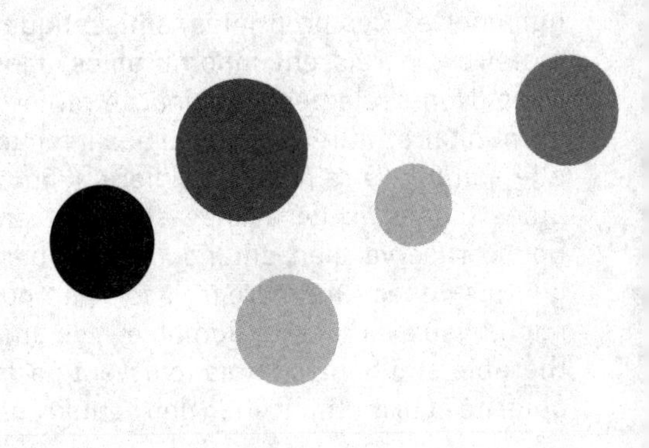

Echinacée : la plante à la mode

Trouvaille merveilleuse ? Ou simple épiphénomène de mode ? Seule certitude : l'échenacée, cette plante, ni belle ni moche, avec son bulbe, sa longue tige et sa fine collerette de pétales roses, a vu ces dernières années le monde entier se mettre à son pied. Et l'engouement dure. Ce qui tendrait à prouver que les propriétés sont à la fois mesurables et appréciables.

Autrefois, c'est-à-dire avant le début de la dernière décennie du siècle dernier, l'échinacée n'existait pas. Elle ne trouvait même pas une petite place dans les grands dictionnaires encyclopédiques. Elle n'était qu'une plante parmi des centaines de milliers d'autres. Condamnée à l'anonymat des hautes sphères botaniques et destinée, au mieux, à figurer au Panthéon des fleurs séchées... Mais il a suffi que des chercheurs s'intéressent à elle et que leurs travaux recensent ses vertus pour que soudain, elle devienne... la panacée. Le remède à tous nos maux ou presque. Absorbé par voie buccale ou appliqué en usage externe, lyophilisé, en teinture mère ou sous forme d'extrait, qu'importe : ses propriétés, antiseptiques et anti-inflammatoires, paraissent innombrables dans leurs applications. Non seulement l'échinacée renforce votre système immunitaire, votre résistance aux infections, mais encore elle stimule votre moelle épinière, « émoustille» vos globules blancs... Elle a une action préventive et curative. Sous réserve bien entendu d'absorber entre 20 et 30 gouttes de teinture mère trois fois par jour et six jours sur sept. Mieux vaut, en ce domaine - les amateurs de phytothérapie et d'homéopathie le savent parfaitement - la régularité et la multiplication des petites doses que la grosse prise unique, de façon plus ou moins occasionnelle. Une cure peut s'étaler sur un mois avant une « pause » d'une semaine suivie d'une nouvelle série de doses quotidiennes pendant un deuxième mois. La belle échinacée prend son temps pour accorder ses faveurs et les adeptes du résultat immédiat sont vivement priés de passer leur chemin...

Fibres : l'ami de l'intestin

Provenant des balles de graines, de la peau et de la chair des fruits ou des parties dures des légumes, les fibres ne sont pas surnommées en vain aliments ballasts. Elles nous rassasient, tout en offrant le double avantage d'être peu caloriques et de jouer un rôle primordial pour notre santé. Malheureusement, elles sont en règle générale trop peu présentes dans l'alimentation des Occidentaux...

Elles augmentent le volume des matières fécales, amollissent les selles en facilitant le passage de nos aliments à travers l'intestin... Ce sont ces précieuses fibres dont tout adulte devrait consommer en moyenne, au moins 25 grammes par jour. Un chiffre de prime abord modeste, voire dérisoire. Or, curieusement, il n'est pas souvent atteint. L'explication est facile à comprendre. Dans les pays occidentaux, l'absorption de produits raffinés est si effrénée qu'elle rend la carence en fibres très fréquente. Avec de lourdes conséquences en termes d'affections tumorales (en particulier au niveau du côlon et du rectum) ou cardio-vasculaires. Une augmentation, même légère, de la ration quotidienne de fibres permettrait sans aucun doute d'éliminer les substances les plus cancérigènes et d'améliorer de nombreux états de santé. Mais au niveau de la population d'un Etat, une telle initiative relève d'une véritable « rééducation » nutritionnelle qui ne semble guère motiver les dirigeants politiques... Dans ces conditions, c'est à vous - et à vous seul - qu'il appartient de prendre des décisions... et de les appliquer sur une longue période. Tout en évitant de commettre des abus, aux effets plus gênants que graves et plutôt contraires aux buts recherchés. Absorbées en quantité excessive, les fibres sont de nature à rendre l'assimilation des aliments difficile au lieu de favoriser le transit intestinal. Impliquant des apports quotidiens supérieurs à 70 grammes, ce type de situation suppose un certain acharnement... En pratique, si vous souhaitez vous prémunir contre la carence en fibres - problème infiniment plus courant -, vous pouvez fort bien vous contenter de consommer des céréales complètes, sous la forme de pains, de biscuits, de riz ou de pâtes, et de compléter cet apport par certains fruits (pommes notamment), fruits à écales (noix, noisettes et amandes), légumes secs ou légumes verts. Le céleri est une suggestion, l'asperge en est une autre, avec le poireau (sous réserve que certains traitements, en général admis par les pouvoirs publics, ne l'aient pas rendu foncièrement... impropre à la consommation.

Astuce

Pour avoir la certitude de consommer le minimum de fibres souhaitable, il vous suffit de manger :

- des crudités et des fruits (en leur état naturel, et non sous forme de jus). Une demi-orange représente 1 gramme de fibres, une banane 2 grammes et une pomme 3 grammes. Une petite grappe de raisin pesant 100 grammes contient environ 7 grammes de fibres, quand le même poids d'abricots secs dénoyautés fournit à un adulte les 25 grammes de la ration quotidienne en fibres qui lui est nécessaire à un adulte.
- la peau des fruits et des légumes, après les avoir soigneusement lavés (par exemple, les pommes ou les pommes de terre au four).
- le riz brun, les céréales complètes, le pain complet (de manière progressive et en évitant les excès). Deux tranches de pain complet fournissent 4 grammes de fibres.
- les parties fibreuses du céleri ou les feuilles externes de la laitue.

Flavines et polyphénols : antioxydants et détoxicants

Bioflavonoïdes ou flavonoïdes ou flavines ? A vous de choisir ! Ces trois mots ne sont en réalité que trois appellations - tout à fait contrôlées - pour désigner... ce que l'on évoquait autrefois sous le nom de vitamine P et qui correspondait aux antioxydants présents dans les aliments avec la vitamine C ! Les flavines sont donc des antioxydants que l'on trouve surtout dans les agrumes, mais aussi dans les cerises, les abricots ou les poivrons verts. Leurs principales propriétés ? Le renforcement des parois capillaires, la protection contre les hémorragies, et notamment contre les règles trop abondantes, l'intervention anti-inflammatoire et anti-allergique. En association avec la vitamine C, l'action détoxicante de ces flavines sort systématiquement renforcée... et vient souvent faciliter le combat contre le rhume.

De leur côté, les polyphénols sont rattachés aux tanins du jus de raisin, du vin bien sûr, et du thé vert. Avec également des propriétés anti-oxydantes et détoxicantes reconnues... depuis le début de l'humanité ou presque.

Ginkgo biloba

Ce n'est pas une nouvelle trouvaille révolutionnaire. C'est en fait l'une des plantes les plus vieilles du monde, que les Chinois utilisent depuis des millénaires pour soigner une multitude d'affections, dont la toux, l'asthme et les allergies. Le ginkgo biloba s'est taillé depuis quelques années une place de choix au « Top 50 » des compléments les plus demandés.

Les Occidentaux sont tombés amoureux de la plante chère à la médecine chinoise. Non sans d'excellentes raisons. Le gingko biloba aurait en effet pour vertus de stimuler les fonctions cérébrales, de renforcer la mémoire, de prévenir les vertiges, la perte de l'ouïe... Avec lui, plus d'infarctus ni de dépression. Encore moins d'impuissance ! Il y a du Viagra dans ce biloba-là qui assure la bamboula et le branle-bas de combat jour et nuit ! Succès garanti, on se doute. Les fabricants de décoctions l'ont bien compris eux aussi. Si bien que tout le monde ou presque mise sur le succès et l'excellence d'un produit dont les effets sont dus en partie à son fort taux de bioflavonoïdes (notamment la quercétine et le kempférol). De nombreux asthmatiques ne s'en plaignent pas : ils ont souvent « testé » la substance qui semble procurer de bons résultats. D'aucuns objecteront peut-être qu'il s'agit davantage d'effets psychologiques que de vertus thérapeutiques, à proprement parler. Peu importe en vérité. Les personnes qui souffrent d'allergies ou de problèmes respiratoires restent les mieux placées pour déterminer si le produit mérite considération ou non. En outre, certains laboratoires qui du ginko biloba voudraient bien faire leur bingo extra, ont la bonne idée de proposer des compléments alimentaires à base de macérat hydroalcoolique de gingko mais enrichis par du miel, du jus de fruits et de légumes, du gluconate de magnésium, du fluorure de sodium et du gluconate de manganèse. Grâce à la macération à froid, ces complexes phytodiététiques sont censés allier, sans les altérer, les propriétés des principes actifs de la plante aux vitamines et oligo-éléments de certains végétaux. L'ajout de magnésium, fluor et manganèse vient, en quelque sorte, activer le tout. Le goût de l'ensemble n'est pas forcément exquis, mais suffisamment acceptable pour que, l'air de rien, les gouttes soient absorbées, par dizaines, avec un peu d'eau... et que vous puissiez trinquer à la bonne santé de tous, du fabricant comme de vous-même !

Ginseng : la vitalité

L'énergie vitale par excellence. Le ginseng, cette fameuse substance du rajeunissement, n'est peut-être pas la panacée universelle, mais il suffit qu'il soit réputé améliorer les capacités intellectuelles et sexuelles pour faire rêver tous les hommes.

Officiellement, le ginseng doit son surnom de « racine de l'homme » à son aspect. Officieusement, il le mérite surtout par ses effets... Il stimule la sécrétion d'hormones et rend énergique de la tête aux pieds ! Grâce aux nombreux acides aminés, vitamines et oligo-éléments (éléments-traces) qu'il contient, il intervient sur le système nerveux d'une part et cardio-vasculaire d'une part. Avec, à la clé, une meilleure mémoire et un renforcement des facultés de concentration et d'apprentissage. A prendre très au sérieux donc et, de fait, souvent recommandé en cas de rhumatismes, de diabète, de cancer, et bien sûr de problèmes sexuels et de vieillissement.
Le « miracle » du ginseng réside, semble-t-il, en partie dans sa remarquable capacité d'adaptation aux besoins réels et particuliers de chaque organisme. Il y a du « sur mesure » dans cette racine-là. Ce qui la rend attachante : elle tonifie, régule ou soulage à bon escient.
Cependant, au moins deux remarques méritent sans doute d'être prises en considération à son sujet. D'abord, il n'existe pas, contrairement à une idée très largement répandue, « le » ginseng : il s'agit d'un mot générique qui correspond à plusieurs sortes de ginseng, aux caractéristiques souvent communes mais parfois variables... Aux côtés des variétés chinoises ou asiatiques figurent des « variantes » américaines et même un « ginseng » russe,

utilisé pour son action positive sur les globules blancs du système immunitaire. Ensuite, l'action du ginseng ne doit surtout pas être sous-estimée. En particulier sur l'organisme d'une personne âgée. Pris en cure, à fortes doses, pendant deux ou trois semaines, le produit peut engendrer, il convient de le souligner, certains changements ou troubles non négligeables qui vont de l'appétit renforcé au sommeil mouvementé... Il n'est pas rare qu'un octogénaire « se dopant » au ginseng juge le processus de « rajeunissement » aussi spectaculaire qu'éprouvant !

Pollen, propolis et gelée royale : quand les abeilles font des merveilles...

Abeille rime avec miel, c'est bien connu. Mais il s'agit à proprement parler d'une rime pauvre. Etrange hommage pour ce merveilleux insecte à qui nous devons le pollen, la propolis et la gelée royale, trois autres produits, de plus en plus appréciés aujourd'hui pour leurs heureux effets sur notre santé. Mais si vous êtes allergique aux piqûres d'abeilles ou concerné par le rhume des foins, prenez garde ! Ces « remèdes » ne sont sans doute pas pour vous...

Inutile d'insister sur les vertus thérapeutiques du pollen, en général bien présent dans la ruche. Le renforcement de l'immunité, la régulation de l'activité intestinale... et l'atténuation des effets du vieillissement passent par lui. Depuis des siècles, tout le monde le sait. Et le proclame urbi et orbi. En revanche, ce qui se dit moins, c'est que les personnes souffrant d'allergies n'ont pas trop intérêt à « se frotter » à ce produit. L'incidence n'est pas systématiquement regrettable. Mais le risque ne paraît pas négligeable. De nombreuses personnes peuvent en attester. De même, la propolis, en raison de sa richesse en pollen, provoque parfois des réactions déplaisantes si vous êtes « abonné » au rhume des foins ou allergique aux piqûres d'abeilles. Ce qui est, il convient de le reconnaître, plutôt frustrant. En tant que tel, le produit en question, cette gomme prélevée sur les écailles des bourgeons qui sert à « colmater » les fentes de la ruche, a en effet de réelles propriétés pour lutter contre le rhume et constitue un excellent antibiotique naturel.

Enfin, si la renommée de la gelée royale comme rajeunissement est... tellement vieille qu'il est impossible de déterminer avec précision son origine, elle s'explique, elle aussi, par de précieuses vertus. Plus virtuelles que réelles parfois, et peut-être due à l'effet placebo de son appellation.
Il n'empêche que cette substance sécrétée par les glandes salivaires des abeilles ouvrières pour favoriser la croissance de la reine a une efficacité scientifiquement reconnue. De réduction des allergies. De contrôle du taux de cholestérol dans le sang. De lutte contre certaines formes de stérilité (en raison notamment de l'hormone sexuelle mâle qu'elle contient et qui agit sur la libido). Sans parler, bien sûr, de tous les problèmes dermatologiques et arthritiques qu'elle permet d'atténuer ou de soulager.
Si vous subissez une chimiothérapie ou une radiothérapie, n'hésitez pas à recourir à ce produit qui va renforcer la résistance de votre organisme contre les effets secondaires de votre traitement. Toutefois, si vous le prenez sous forme de comprimés, évitez de « forcer » la dose (normalement, 150 micro grammes par jour devraient vous suffire ; sinon, consultez votre médecin).
Assurément, l'efficacité de la gelée royale se révèle meilleure lorsqu'elle est fraîche. Mais son prix peut alors se hisser - on s'en doute un peu - à un niveau... presque royal.

Probiotiques : les nouvelles aventures de Bifidus et Acidophilus

Bifidus et Acidophilus ne sont pas deux personnages de bande dessinée. Ni deux des héros du dernier film de Walt Disney. Et encore moins deux gloires illustres de l'Antiquité. Et pourtant, ces deux bactéries connaissent un succès triomphal. A la fois médiatique, scientifique et commercial. Ce sont les nouvelles « stars » de notre système immunitaire...

Scientifiquement, ils se nomment comme le Lactobacillus acidophilus et la bifidobactéria bifidum. Un couple charmant. Réconfortant et universel. Tout le monde les connaît. Les consomme. Abondamment sinon quotidiennement. Car ils prennent la forme du yaourt fermenté. Très nature forcément. Merci Danone. Grâce à la consommation de petits pots, les saines bactéries se multiplient dans votre intestin. Pour le maintenir en parfait état, favoriser la bonne assimilation des autres nourritures, atténuer vos éventuels problèmes de constipation ou de ballonnement, faciliter la résolution de vos problèmes dermatologiques...

Si vous suivez un traitement à base d'antibiotiques qui détruit votre flore intestinale et que vous souffrez de diarrhées, l'acidophilus contenu dans les yaourts nature ou dans des gélules - comme dans de très nombreux aliments - vous est tout indiqué. Ses effets sont souvent spectaculaires. Et si vous êtes une femme, ils vont au passage se traduire par une santé vaginale impeccable. Résultat immanquable : vous allez faire de l'acidophilus

et du bifidus vos bactéries chéries. A toute heure du jour et de la nuit !
Sachez enfin que la bifidobactérie, à la différence de l'acidophilus, se trouve exclusivement dans quelques rares produits laitiers, dont bien sûr le yaourt fermenté nature. Une situation qui explique la mondialisation et la constance du succès des fameux petits pots.

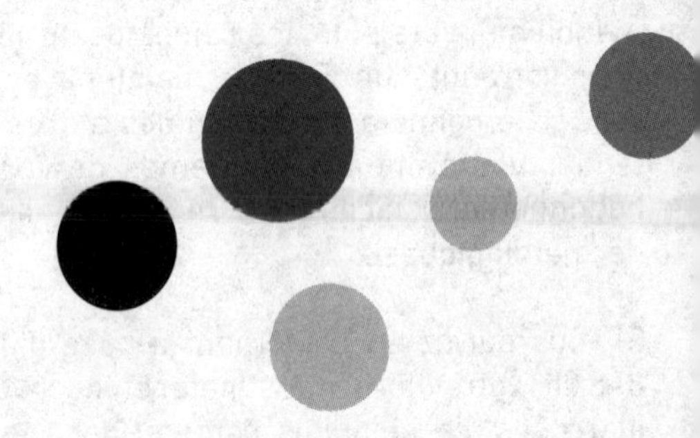

Le mot de la fin : SOS vitamines et minéraux !

Bien manger, c'est manger sain et souvent manger moins... Mais surtout pas moins de vitamines et de minéraux ! Au contraire, nous avons tous besoin de vitamines et de minéraux. Plus que jamais. Car nos carences vont croissant. Jour après jour, nous sommes victimes d'agressions incessantes, soumis, en partie à notre insu parfois, à des contraintes, tant physiques que psychologiques, extrêmement pénibles. Avec des répercussions lourdes de conséquences à moyen ou long terme.

Contribuant à une médecine « douce » ou « naturelle », vitamines, minéraux et compléments divers nous sont plutôt sympathiques et connaissent un grand succès. Mais attention ! Une double réflexion s'impose. L'attrait qu'ils suscitent ne doit surtout pas faire oublier qu'ils risquent de se révéler relativement dangereux s'ils sont mal connus et mal manipulés. En outre, ils ne peuvent pas prétendre tout prévenir ni tout soigner. Ils ne sont pas « la » panacée universelle et absolue. Les présenter comme des nutriments ou des facteurs anodins est à peu près aussi absurde que se mettre à exiger d'eux plus qu'ils ne sont en mesure de procurer.

C'est à ces deux conditions essentielles que les uns et les autres méritent bien d'apparaître comme nos meilleurs alliés dans la défense de notre si précieuse santé et justifient pleinement le mot de la fin : SOS vitamines et minéraux !

Salades fraîcheur

Salade de poivrons aux champignons

Préparation : 25 minutes.

Accompagne idéalement le poisson.

-1 poivron vert et 1 poivron rouge (300 g)
-200 g de champignons frais

Pour la marinade :
-75 g de céleri
-2 cuillerées à soupe d'huile d'olive (30 g)
-1/2 bouquet de ciboulette
-2 cuillerées à soupe de jus de citron
-1/2 botte de cresson
-sel, poivre blanc,
-ail en poudre
-2 cuillerées à café de moutarde forte
-sauce Worcester
- I pincée de sucre

Éplucher, laver et essuyer les poivrons et les champignons. Couper les poivrons en fines lanières et les champignons en lamelles. Mettre dans un plat et mélanger avec précaution. Pour la marinade : éplucher le céleri, laver, essuyer. Râper fin. Laver, essuyer et hacher la ciboulette. Passer le cresson sous l'eau froide, égoutter et prendre les feuilles.
Mettre le céleri, la ciboulette et le cresson dans un petit plat. Ajouter la moutarde, l'huile d'olive et le jus de citron. Bien mélanger. Assaisonner de sel, de poivre, d'ail en poudre, de sauce Worcester et de sucre. Servir à part salade et marinade.

Laitue aux radis

Préparation: 30 minutes.

1 poivron vert et 1 poivron rouge (300 g)
200 g de champignons frais

Pour la marinade :
75 g de céleri
1/2 bouquet de ciboulette
1/2 botte de cresson
2 cuillerées à café de moutarde forte
2 cuillerées à soupe d'huile d'olive (30 g)
2 cuillerées à soupe de jus de citron
sel, poivre blanc, ail en poudre
sauce Worcester, I pincée de sucre

Éplucher la laitue. Laver les feuilles à l'eau froide. Essorer. Eplucher, laver et égoutter les radis. Couper en minces rondelles. Répartir la laitue sur 4 assiettes.
Pour la marinade: éplucher et émincer l'oignon. Mettre dans un plat avec la crème fraîche, l'huile, le raifort, le sel, le poivre et le sucre. Relever. Laver la ciboulette sous l'eau froide, essuyer et hacher. Verser la marinade sur la laitue. Saupoudrer de ciboulette et servir aussitôt.

Salade d'endives aux noix

Préparation: 20 minutes.

Pour la marinade :
3 cuillerées à soupe de vinaigre
1 cuillerée à soupe d'eau
sel, poivre blanc
1 pincée de sucre
1 oignon
4 endives
50 g de noix
3 cuillerées à soupe d'huile

Mélanger le vinaigre et l'eau au sel, au poivre et au sucre. Le sel doit se dissoudre complètement. Eplucher les oignons, couper en petits dés et ajouter à la marinade. Laver et éplucher les endives. Couper 1 cm de la base. Séparer les feuilles. Ne laver les feuilles que si c'est nécessaire, et, dans ce cas, bien essuyer. Couper en gros morceaux de 2 cm. Hacher les noix grossièrement. En garder quelques-unes pour la garniture. Ajouter les endives et les noix à la marinade. Verser l'huile, mélanger et vérifier l'assaisonnement. Garnir de noix.

Salade de pousses de bambou

Préparation : 20 minutes.

1 gousse d'ail, sel
1 pointe de gingembre
2 cuillerées à soupe de sauce de soja
3 cuillerées à soupe de vinaigre
2 cuillerées à soupe d'huile
2 oeufs durs
1 poivron rouge
sel, 1 pincée de sucre
250 g de pousses de bambou en conserve
1/2 concombre
1/4 de céleri cuit
1/2 tasse d'estragon frais et d'aneth

Éplucher la gousse d'ail et broyer avec du sel. Mélanger le gingembre, la sauce de soja, le vinaigre et l'huile. Couper en petits dés le poivron épluché et épépiné ainsi que les oeufs. Mélanger et tenir au frais 20 minutes. Egoutter les pousses de bambou. Couper en grosses lamelles, de même que le céleri et le concombre. Mélanger aux pousses dc bambou. Verser la sauce froide sur la salade. Remuer. Hacher fin aneth et estragon. Saupoudrer la salade.

Mâche aux noix

Préparation: 40 minutes.

Se sert avec des pommes de terre persillées.

400 g de mâche
1 oignon
100 g de noix

Pour la marinade :
1 pot de yaourt
poivre blanc
1 cuillerée à café de moutarde
2 cuillerées à soupe d'huile
1 pincée de sucre
sel

Éplucher la salade. Mettre les feuilles dans un égouttoir et passer sous l'eau froide. Egoutter. Mettre dans un torchon et essorer. Eplucher et couper l'oignon en morceaux égaux. Hacher grossièrement les noix. Garder une poignée de noix pour la garniture. Mélanger noix et oignon avec la mâche.
Pour la marinade : mélanger le yaourt, le sel, le poivre, la moutarde, l'huile et le sucre. Bien relever. Verser sur la salade et tourner avec précaution. Laisser reposer 10 minutes. Disposer dans un saladier. Saupoudrer de noix hachées et servir.

Chicorée à la flamande

Préparation : 30 minutes

1 chicorée
400 g de pommes de terre en robe des champs
4 filets de hareng

Pour la marinade :
3 cuillerées à soupe de vinaigre de citron
2 cuillerées à soupe d'huile
1 oignon
poivre
1 cuiller de sucre
1/4 de bouquet de persil, de ciboulette et d'aneth
2 cuiller à soupe de crème aigre

Éplucher et laver la chicorée. Couper les feuilles. Laisser égoutter. Peler et couper les pommes de terre en dés. Couper les filets de hareng en gros morceaux égaux. Ajouter à la salade et mélanger avec soin.
Pour la marinade : mélanger le vinaigre de citron et l'huile. Eplucher et râper l'oignon. Ajouter à la marinade avec le poivre et le sucre. Verser sur la salade. Laisser macérer 20 minutes environ. Disposer sur un plat. Laver le persil, la ciboulette et l'aneth. Hacher. Mélanger à la crème aigre. Verser sur la salade.

Salade d'aubergines à la madrilène

Préparation : 25 minutes.
Cuisson: 15 minutes.

2 aubergines (300 g)
1/2 tasse d'huile d'olive
1 gousse d'ail
4 tomates
jus de citron
1 oignon haché
cresson pour la garniture
1 oignon
poivre noir, sel
1 cuillerée à soupe de sauce tomate
2 branches de cerfeuil, d'estragon, de persil et de cresson

Laver, essuyer, équeuter les aubergines. Couper en deux dans le sens de la longueur. Mettre un peu d'eau à chauffer dans une marmite. Ajouter l'huile d'olive et la gousse d'ail broyée avec du sel. Laisser cuire 10 bonnes minutes. Laisser refroidir. Garder l'eau de cuisson. Laver et équeuter les tomates. Couper en rondelles. Couper le poivron en deux, épépiner, laver et couper en fines lanières. Mélanger aux aubergines et aux tomates. Ajouter à l'eau de cuisson des aubergines l'oignon haché, le jus de citron, la sauce tomate, les fines herbes hachées, le poivre et le sel. Vérifier l'assaisonnement. Verser sur la salade. Laisser macérer 60 minutes, de préférence au réfrigérateur. Eplucher l'oignon. Le couper en fines rondelles. Disposer la salade dans un plat. Garnir avec l'oignon et le cresson. laisser macérer 30 minutes dans de l'eau salée.

Pour ôter l'amertume des aubergines, les couper et les laisser macérer 30 minutes dans de l'eau salée.

Salade de haricots verts à la danoise

Préparation: 20 minutes

Cuisson: 15 minutes.

250 g de haricots verts
1 cuillerée à soupe de beurre
200 g de pommes de terre en robe des champs
1 oignon
sel
3 filets de hareng

Pour la marinade :
4 cuillerées à soupe de mayonnaise
1/2 pot de yaourt
1/2 jus de citron
poivre, 1 pincée de sucre, sel
1/2 bouquet de persil

Éplucher les haricots, ôter les fils. Laver et couper. Plonger dans l'eau bouillante. Ajouter sel et beurre. Laisser cuire 15 minutes. Egoutter et laisser refroidir. Couper les filets de hareng et les pommes de terre en rondelles égales. Emincer l'oignon épluché. Mélanger le tout.
Pour la marinade : mélanger la mayonnaise, le yaourt, le jus de citron, le poivre, le sel et le sucre. Verser sur la salade. Laisser macérer 60 minutes. Vérifier l'assaisonnement. Saupoudrer de persil haché.

Salade aux petites tomates rouges

500 ml (2 tasses) de laitue pommée déchiquetée
750 ml (3 tasses) d'épinards crus, déchiquetés
500 ml (2 tasses) de thon ou de saumon en morceaux
750 ml (3 tasses) de petites tomates rouges
250 ml (1 tasse) de ciboulette hachée
375 ml (1 1/2 tasse) de chou tranché mince
250 ml (1 tasse) de poireaux crus, tranchés mince
375 ml (1 1/2 tasse) de panais cuits, coupés en cubes
250 ml (1 tasse) de chou-fleur cuit, coupé en lamelles
375 ml (1 1/2 tasse) de carottes cuites, coupées en bâtons
125 ml (1/2 tasse) de mayonnaise
85 ml (1/3 de tasse) de ketchup
30 ml (2 c. à soupe) de crème épaisse
15 ml (1 c. à soupe) de jus de citron
2,5 ml (1/2 c. à thé) de sel marin
1 grosse pincée d'origan
1 pincée de poivre

Utiliser un grand plat concave. Au gré de son inspiration, faire des haies de légumes sur la longueur du plat et remplir les fossés de tomates.
Préparer la vinaigrette et la répartir sur le plat.

Légumes savoureux

Maïs à la mexicaine

Préparation: 10 minutes

Cuisson: 10 minutes.

1 grande boîte de maïs (env. 500 g)
4 tomates
1 poivron rouge
3 cuiller à soupe d'huile d'olive, sel
1 pincée de poivre de cayenne
1 piment vert

Voici comment on prépare le maïs au Mexique. La saveur tendre du maïs se combine harmonieusement à l'âpreté du piment.
Mettre le maïs dans une passoire. Exprimer le jus des tomates. Couper en dés. Laver et éplucher le piment et le poivron. Couper en dés. Mettre l'huile d'olive à chauffer. Faire cuire les tomates, le piment et le poivron 5 minutes. Assaisonner de sel et de poivre de Cayenne. Ajouter le maïs. Chauffer. Secouer légèrement la poêle pour que les légumes n'attachent pas.

Ragoût d'oignons

Préparation: 35 minutes.

Cuisson:35 minutes.

750 g d'oignons
1/2 l d'eau
sel, poivre blanc, 1 pincée de sucre
1 petit paquet de pois surgelés (300 g)
1/4 l de vin blanc
30g de farine
20g de margarine
1 jaune d'oeuf
paprika doux
1 bouquet de persil
1/8 l de crème fraîche

Éplucher et couper les oignons en quartiers. Mettre l'eau à bouillir dans une marmite avec le vin blanc, le sel, le poivre et le sucre. Ajouter les oignons et laisser cuire 10 minutes. Ajouter les pois non dégelés et laisser cuire encore 5 minutes. Mettre les oignons et les pois dans une passoire. Recueillir l'eau de cuisson. Faire chauffer la margarine dans une casserole. Ajouter la farine. Verser l'eau de cuisson des oignons en remuant. Laisser bouillir. Oter la casserole du feu. Mélanger la crème fraîche et le jaune d'oeuf dans un bol, avec un peu de sauce. Verser dans la sauce. Assaisonner de sel, de poivre et de paprika. Mettre les oignons et les pois dans la sauce. Faire chauffer 5 minutes sans faire cuire. Disposer dans un plat chaud. Saupoudrer de persil préalablement lavé, essuyé et haché et servir.

Jardinière de légumes

Préparation: 20 minutes.

Cuisson: 30 minutes.

Pour 8 personnes

1 petit chou-fleur (450g)
sel, 1 l d'eau
1 paquet de brocolis surgelés (350g)
1 paquet de pois fins surgelés (300 g)
250 g de pointes d'asperge
25 g de haricots princesse
250 g de carottes en conserve
6 tomates (400 g)
150 g de beurre
poivre blanc
250 g de champignons frais
2 cuillerées à soupe de chapelure

La jardinière de légumes, préparée avec amour, constitue un plat de fête au sein du cercle familial. Autrefois, le choix des légumes dépendait de la saison. Aujourd'hui, les conserves et les surgelés permettent de servir à tout moment un plat haut en couleur et savoureux.
Pour la jardinière de légumes, faire cuire ou chauffer chaque légume à part.
Laver, éplucher le chou-fleur. Le plonger dans l'eau bouillante salée et laisser cuire 20 minutes.
Faire cuire et saler à part les brocolis et les pois en se conformant aux conseils d'utilisation. Faire égoutter les pointes d'asperge, les haricots princesse et les carottes. Les mettre séparément dans une feuille d'aluminium. Saler et fermer. Remplir un plat creux de 2 cm d'eau. Mettre les paquets de légumes. Enfourner dans le four préchauffé

et laisser chauffer 15 minutes (140° dans un four électrique ; thermostat 1 dans un four à gaz).
Pendant ce temps, laver, essuyer, équeuter les tomates. Découper le haut des tomates en croix. Déposer des noix de beurre. Lorsque les légumes sont chauds, placer les tomates dans le four et faire griller 10 minutes. Faire cuire les champignons lavés et épluchés dans 20 g de beurre 8 minutes.
Faire chauffer 40 g de beurre. Faire dorer la chapelure.
Faire chauffer le reste de beurre jusqu'à ce qu'il bouillonne.
Mettre le chou-fleur à égoutter. Dresser au milieu d'un grand plat. Mettre les brocolis et les pois à égoutter. Disposer tous les légumes autour du chou-fleur. Vérifier l'assaisonnement et ajouter éventuellement set et poivre. Verser la préparation de chapelure et de beurre sur le chou-fleur, le beurre bouilli sur les autres légumes.

On peut aussi servir la jardinière avec une sauce béarnaise. Dans ce cas, ne pas mettre de beurre fondu sur les légumes.

Poivrons à la ménagère

Préparation : 10 minutes.

Cuisson : 80 minutes.

Se sert avec de la purée de pommes de terre.

150g de riz long
1/2 l d'eau
4 gros poivrons verts ou rouges (600g)
sel

Pour la sauce tomate :
1 petit oignon (30g)
30g de margarine
1 boîte de sauce tomate (70 g)
1 cuillerée à soupe de paprika doux
30g de farine
1/4 l de bouillon cube chaud
sel, poivre blanc
1 pincée de sucre

En plus :
350g de saucisses de veau
sel, poivre noir
1/2 cuillerée à café de thym en poudre
1 petit pot de crème aigre
(100 g)

Laver le riz à l'eau froide. Mettre à égoutter. Emplir une marmite d'eau salée. Laisser bouillir. Laisser cuire le riz 20 minutes couvercle fermé à feu très doux. Pendant ce temps, équeuter les poivrons et découper le dessus. Epépiner. Laver gousses et chapeaux sous l'eau froide. Laisser égoutter.

Pour la sauce tomate : éplucher et émincer les oignons. Faire chauffer la margarine dans une poêle. Mettre les oignons à glacer. Ajouter la sauce tomate et le paprika. Verser la farine en une seule fois. Faire revenir en remuant. Verser le bouillon cube. Laisser bouillir. Assaisonner de sel, de poivre et de sucre. Relever. Presser les saucisses pour n'avoir que la viande. Mélanger au riz dans un plat. Saler, poivrer, ajouter le thym. Farcir les poivrons. Remettre le couvercle sur les poivrons et disposer dans un plat à gratin. Napper de sauce tomate. Couvrir le plat et enfourner dans le four préchauffé. Laisser cuire 45 minutes sur la plaque inférieure (250 dans un four électrique ; thermostat 5-6 dans un four à gaz). Sortir le plat du four. Ajouter la crème aigre à la sauce tomate. Vérifier l'assaisonnement et servir aussitôt.

Brocolis à la sauce au fromage

Préparation : 15 minutes. Cuisson: 40 minutes.

Se sert avec des escalopes panées et du riz.

750 g de brocolis, sel, poivre blanc
20g de beurre
20g de farine
1/4 l d'eau de cuisson des brocolis
1/4 l de bouillon cube
muscade
6 cuillerées à soupe de gruyère râpé
100 g de saucisse

Laver et éplucher les brocolis. Jeter dans l'eau bouillante. Saler et poivrer. Laisser cuire 30 minutes. Sortir, égoutter, tenir au chaud. Faire chauffer le beurre. Ajouter la farine. Délayer avec l'eau de cuisson des brocolis et le bouillon cube. Assaisonner de muscade, de sel et de poivre. Laisser cuire 7 minutes. Ajouter le gruyère. Remuer jusqu'à dissolution. Couper la saucisse en dés. Ajouter. Verser la sauce sur les brocolis.

Oignons farcis

Préparation: 45 minutes.

Cuisson: 70 minutes.

1 petit pain
8 gros oignons (800 g)
1/2 l d'eau, sel

Pour la farce:
1 boîte de saumon fumé (40 g)
250g de viande hachée, 1 oeuf
4 cuillerées à café d'oignons hachés
(l'intérieur des gros oignons)
2 cuillerées à soupe de whisky
60 g de beurre ou de margarine
1/4 l de bouillon cube chaud
2 cuillerées à soupe de farine (30 g)
sel, poivre
4 cuillerées à soupe de crème aigre (60 g)

Pour la garniture :
1 bouquet de persil

Mettre le petit pain à tremper dans l'eau. Éplucher les oignons, découper en rond avec un couteau pointu. Evider avec une cuillère à soupe. Hacher la pulpe. Mettre dans un bol et réserver.
Mettre l'eau salée à bouillir dans une marmite. Plonger les oignons et laisser cuire 15 minutes.
Couper le saumon en petits morceaux (garder 2 tranches pour la garniture). Disposer dans un plat. Ajouter la viande hachée, l'oeuf, le petit pain, un peu d'oignon haché, le

poivre et le whisky. Mélanger. Farcir les oignons.
Faire fondre 40 g de beurre ou de margarine dans un plat à gratin. Faire revenir les oignons 5 minutes. Faire chauffer le reste de beurre dans une poêle. Ajouter le reste d'oignon haché et faire revenir à feu vif. Mettre avec les oignons dans le plat à gratin. Enfourner le plat couvert dans le four préchauffé. Laisser cuire 50 minutes (180 dans un four électrique ; thermostat 3 dans un four à gaz). Retirer le couvercle au bout de 30 minutes. Délayer la farine dans un bol avec un peu d'eau. Lier avec le fond de graisse de la poêle. Laisser cuire doucement 7 minutes. Assaisonner de sel, de poivre et de crème aigre.
Pour la garniture : couper les 2 tranches de saumon en lanières. Poser sur les oignons en croix. Laver, essuyer le persil. Hacher grossièrement et mettre sur les oignons. Servir dans le plat à gratin.

Zucchinis à la napolitaine

Préparation: 20 minutes

Cuisson: 40 minutes.

4 gros zucchinis ou courgettes (800 g)
1/2 1l d'eau
sel

Pour la farce:
2 petits oignons (60 g)
3 cuillerées à soupe d'huile d'olive (30 g)
250 g de veau haché
150 gde jambon cuit
1 bouquet de persil
1 oeuf
30g de parmesan râpé
sel, poivre blanc
1/2 cuillerée à café de cerfeuil en poudre

En plus:
50g de beurre
4 cuillerées à soupe de ketchup (80 g)
8 cuillerées à soupe de crème fraîche (120 g)
1 goutte de sauce tabasco

Laver les zucchinis, équeuter, couper en deux dans le sens de la longueur. Plonger, surface coupée vers le bas, dans l'eau bouillante salée. Couvrir. Laisser cuire 10 minutes.

Sortir et égoutter. Evider à l'aide d'une cuillère à café et couper la pulpe en dés. Mettre dans un plat.

Pour la farce : éplucher et émincer les oignons. Faire chauffer l'huile d'olive dans un poêlon. Faire dorer les oignons 2 minutes à feu doux. Ajouter le veau haché et

laisser cuire encore 5 minutes en remuant. Couper le jambon en petits dés. Laver, essuyer et hacher le persil.
Ajouter le tout, avec l'oeuf et te fromage, à la pulpe de zucchinis. Bien mélanger, assaisonner de sel, de poivre et de cerfeuil. Farcir les zucchinis. Beurrer un plat à gratin. Mettre les zucchinis.
Mélanger le ketchup et la crème fraîche. Relever de sauce tabasco. Verser sur les zucchinis. Parsemer de noix de beurre. Enfourner dans le four préchauffé. Laisser cuire 20 minutes (200 dans un four électrique, thermostat 4 dans un four à gaz).

Endives à la crème

Préparation: 15 minutes.

Cuisson: 30 minutes.

750 g endives,
1 l d'eau
1/2 jus de citron
sel
1 cuillerée à soupe de beurre

Pour la sauce:
40 g de beurre ou de margarine
30g de farine
sel, muscade
1 jaune d'oeuf
1/4 l de crème fraîche

Laver et éplucher les endives. Couper 1 cm de la base. Ôter la partie amère. Couper chaque endive en 3. Mettre à bouillir l'eau salée avec le jus de citron et le beurre. Faire cuire les endives 15 minutes. Sortir. Egoutter et tenir au chaud.
Pour la sauce : faire chauffer le beurre ou la margarine. Ajouter la farine. Bien mélanger. Verser l'eau de cuisson chaude des endives. Laisser cuire 7 minutes en remuant. Assaisonner de sel et de muscade. Ajouter le jaune d'oeuf battu. Faire chauffer sans cuire. Ôter du feu. Ajouter la crème fraîche et verser sur les endives. Servir dans la sauce.

Chou rouge aux pommes

1 litre (4 tasses) de chou rouge râpé, tassé
500 ml (2 tasses) de pommes en morceaux
250 ml (1 tasse) de persil frais, haché
60 ml (4 c. à soupe) d'huile d'olive (ou autre)
45 ml (3 c. à soupe) de vinaigre de vin rouge
45 ml (3 c. à soupe) d'eau froide
5 ml (1 c. à thé) de sel marin
2,5 ml (1/2 c. à thé) de moutarde préparée

Faire la vinaigrette dans un bol de bois et ajouter tous les autres ingrédients en les mélangeant avec les mains. Suggestion de menu : servir, sur des feuilles de chou rouge, une portion de chou rouge aux pommes avec du pâté de lapin ou des sardines fumées, ainsi qu'un légume en pot (chou, carottes et raifort râpés ou bouquets de chou-fleur), des salsifis cuits, nature ou en boîte, et des olives noires et vertes. Mâcher de la valériane avec le repas.

Fenouil à la ciboule

750 ml (3 tasses) de fenouil tranché mince (la base blanche des feuilles)
185 ml (1/4 de tasse) de ciboulette hachée finement
60 ml (1/4 de tasse) de persil frais, haché
30 ml (2 c. à soupe) d'huile de soya (ou autre)
15 ml (1c. à soupe) de lait tiède
15 ml (1 c. à soupe) de vinaigre de vin blanc
5 ml (1 c. à thé) de jus de citron
2,5 ml (1/2 c. à thé) de sel marin

Faire la vinaigrette dans un bol de bois et ajouter tous les autres ingrédients en les mélangeant avec les mains.

Suggestion de menu : servir, sur des feuilles d'endives, une portion de fenouil à la ciboule avec du crabe, des crevettes cuites (nature ou en conserve) ou des bouchées de poisson préparées, ainsi que des cœurs d'artichauts, des pousses de bambou et des cœurs de palmier en conserve.

Poches Clairance

Santé :
Le pouvoir des plantes
Le bicarbonate, ses fabuleuses vertus
Le vinaigre, ses fabuleuses vertus

Développement personnel :
Le jardin secret de Vénus
Vos rêves érotiques dévoilés
Votre sexualité épanouie
Manuel pratique des amants sensuels

Esotérisme :
Rendez-vous avec la voyance
Le tarot de Marseille
Nos anges gardiens
L'astrologie chinoise